JN024540

NHK出版

音声DL BOOK

これからはじめる ロシア語入門

前田 和泉

Maeda Izumi

NHK出版

はじめに

この本を手に取ってくださった物好きな皆さん、こんにちは。
……いきなり失礼しました。でも、ここで「物好き」と書いたのは決して筆が滑ったわけではありません。

だってロシア語に興味を持つなんて、日本では「物好き」「変わった人」と思われるのが普通ですから。私も大学でロシア語を学び始めて以来、「なんでロシア語やってるの？」と、これまでのべ1万回ぐらい言われてきました。

なにしろ日本で学ぶ外国語といえば、まずは英語。それ以外では中国語、韓国語、ドイツ語、フランス語、スペイン語あたりがいわゆる「第2外国語」の定番ラインナップでしょうか。書店に行けば、ロシア語を学ぶ人が決して多くはないことが一目瞭然。語学書のコーナーでもロシア語の本なんて「いったいどこにあるの？」という感じです。きっと本書も、平積みにされた英語etc.の語学書に隠れて、書店の棚の目立たない隅のほうでひっそりとたたずんでいたはず。そんな本書を見つけてくださったあなたは、すばらしい視力の持ち主ですね！

ちなみにここで言う「視力」は、単に身体能力としての「視力」（健康診断で「上」とか「右」とか「右斜め上」とか言って測るアレ）だけではなく、「心の視力」も指しています。つまり、おもしろいものや価値あるものを見抜く眼力、とでもいうのでしょうか。

そう、ロシアという国はとにかくおもしろいものの宝庫なのです。文学や音楽、バレエなどが盛んだというイメージはなんとなくあるかもしれませんが、そういう有名どころだけではなく、たとえば音楽ならクラシック以外にロック、ジャズ、ポップス、テクノ、ヒップホップなども盛んで、日本ではほとんど知られていないキレッキレのアーティストが山ほどいます。絵画であれば、写実的な風景画から耽美なモダニズム絵画、大胆不敵なアヴァンギャルドまでよりどりみどり！　建築だって、古風ゆかしき木造教会もあれば、絢爛（けんらん）豪華な宮殿や「スターリン建築」と呼ばれる威風堂々たる巨大な建物もあって飽きません。

広大な自然、多彩な料理、おしゃべり好きで感情豊かな人々……こんなに魅力あふれる国なのに、残念ながら日本ではそうしたロシアのおもしろさがあまり知られていません。そのいちばんの理由は言葉の壁です。どれほどすばらしくても、言葉がわからなければ情報は伝わってきません。そして、日本でロシア語を学んでいるのはごく一部の「物好き」だけ。かくしてロシアの魅力は限られた人しか知らない孤島の秘宝のような状態になっているのです。

そんな中でこの本を手にとった皆さんは、非常に鋭い眼力をお持ちです。なぜかロシアに惹（ひ）かれ、きっとそこには何かおもしろいことがあるに違いないと直感してロシア語を勉強してみたくなった――そんな皆さんの選択に間違いはありません。

本書は、そういう方のための学習書です。ロシア語は難しいとよく言われますが、できる限り文法を整理し、わかりやすく説明しました。「チャレンジ！実践会話」では、シンプルな文法と語彙で、生き生きとした会話を味わえます。楽しみながらしっかり実力がつくように、練習問題も充実させました。

本書があれば、秘密の宝島ロシアを探索する旅に自信を持って出かけられます。皆さんがこの旅の中ですてきな宝物を見つけられますように。Счастли́вого пути́!（どうぞ良い旅を！）

前田和泉

目次

この本の使い方

この本は22課から構成されています。原則としてどの課も、ひとまとまりの文法的なテーマを扱っています。また、各課は特定のセットメニューから成っています。その内訳は、先頭から順に以下のとおりです。

これを学ぼう!

その課で身につける主な項目を2点に分けています。ニュース番組の冒頭に出てくるヘッドラインみたいなものです。「要するに、この課のテーマは何?」と知りたくなったとき、参照してみてください。

どんなやり取り?

短めの会話です。その課で扱う文法的なテーマを使った表現が含まれています。和訳やその下の語句一覧と見比べながら、やり取りを追ってみてください。

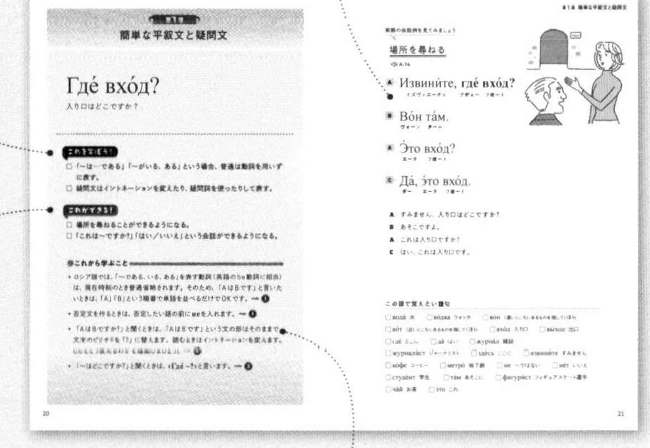

簡単な平叙文と疑問文

Где́ вхо́д?

入り口はどこですか?

これを学ぼう!

□「〜は…である」「〜がいる、ある」という場合、普通は動詞を用いずに表す。

□ 疑問文はイントネーションを変えたり、疑問詞を使ったりして表す。

これができる!

□ 場所を尋ねることができるようになる。

□「これは〜ですか?」「はい／いいえ」という会話ができるようになる。

※これから学ぶこと

- ロシア語では、「〜である、いる、ある」を表す動詞（英語のbe動詞に相当）は、現在時制のとき普通省略されます。そのため、「AはBです」と言いたいときは、「A」「B」という順番で単語を並べるだけでOKです。→ ❶
- 否定文を作るときは、否定したい語の前にнеを入れます。→ ❶
- 「AはBですか?」と聞くときは、「AはBです」という文の形はそのままで、文末のピリオドを「?」に替えます。読むときはイントネーションを変えます。→ ❸
- 「〜はどこですか?」と聞くときは、«Где́ 〜?»と言います。→ ❷

20

実際の会話例を見てみましょう

場所を尋ねる

A-14

A Извини́те, где́ вхо́д?

B Во́н та́м.

A Э́то вхо́д?

C Да́, э́то вхо́д.

A すみません、入り口はどこですか?

B あそこですよ。

A これは入り口ですか?

C はい、これは入り口です。

この課で覚えたい語句

21

これができる!

文字どおり、その課の項目を身につけるとできるようになることを2例挙げています。「なんでこんなことを覚えるんだろう?」とふと疑問に思ったときは、ここを（再）確認してください。

※これから学ぶこと

その課で扱うポイントを、あらすじ仕立てでここにまとめました。どこで解説しているかを❶❷といった番号で示していますので、該当する箇所をすぐに確認することもできます。

なお、第1課の手前では、アルファベット・発音について取り上げています。また、第22課の後に、付録として覚えておきたい規則・単語・表現の一覧があります。詳しく扱えなかった単語や表現をまとめましたので、少しずつ覚えていきましょう。さらに、単語の変化表と単語集もあります。「この単語の変化のしかたは?」「この単語の意味は?」と疑問に思ったら、このページを確認してください。

この課のポイント

その課で扱う文法的なテーマをいくつかのポイントに分けて紹介しています。また、ところどころに「ちょっと休憩」というコラムを差しはさみました。息抜きとしてお楽しみください。

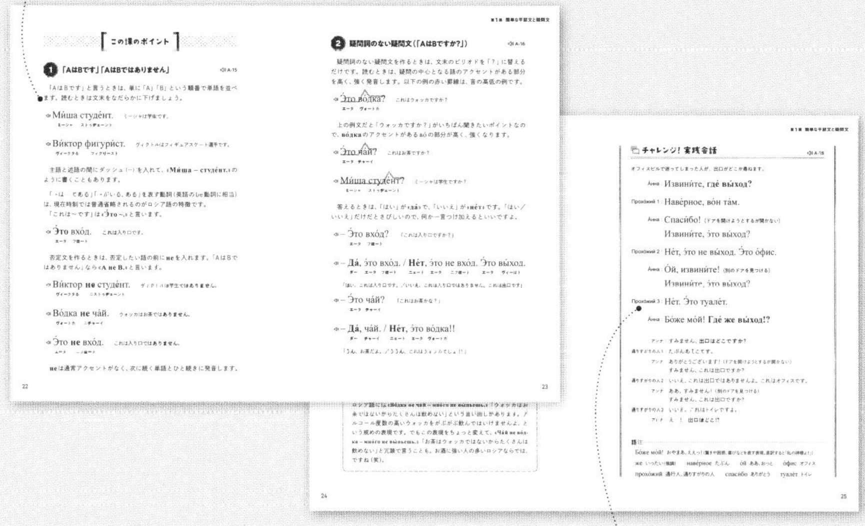

この課のポイント

1 「AはBです」「AはBではありません」 A-15

「AはBです」と言うときは、単に「A」「B」という順番で単語を並べます。読むときは文末をなだらかに下げましょう。

Ми́ша студе́нт. ミーシャは学生です。

Ви́ктор фигури́ст. ヴィクトルはフィギュアスケート選手です。

主語と述語の間にダッシュ(—)を入れて、«**Ми́ша – студе́нт.**»のように書くこともあります。

「〜は〜である」「〜がいる、ある」を表す動詞(英語のbe動詞に相当)は、現在時制では普通省略されるのがロシア語の特徴です。
「これは〜です」は«**Э́то 〜.**»と言います。

Э́то вхо́д. これは入り口です。

否定文を作るときは、否定したい語の前に**не**を入れます。「AはBではありません」なら«**A не B.**»と言います。

Ви́ктор **не** студе́нт. ヴィクトルは学生ではありません。

Во́дка **не** ча́й. ウォッカはお茶ではありません。

Э́то **не** вхо́д. これは入り口ではありません。

неは通常アクセントがなく、次に続く単語とひと続きに発音します。

22

第1章 簡単な平叙文と疑問文

2 疑問詞のない疑問文(「AはBですか?」) A-16

疑問詞のない疑問文を作るときは、文末のピリオドを「?」に替えるだけです。読むときは、疑問の中心となる語のアクセントがある部分を高く、強く発音します。以下の例の赤い罫線は、音の高低の例です。

Э́то во́дка? これはウォッカですか?

上の例文だと「ウォッカですか?」がいちばん聞きたいポイントなので、**во́дка**のアクセントがある**во́**の部分が高く、強くなります。

Э́то ча́й? これはお茶ですか?

Ми́ша студе́нт? ミーシャは学生ですか?

答えるときは、「はい」が«**да́**»で、「いいえ」が«**не́т**»です。「はい/いいえ」だけだとさびしいので、何か一言つけ加えるといいですよ。

– Э́то вхо́д? 「これは入り口ですか?」

– **Да́**, э́то вхо́д. / **Не́т**, э́то не вхо́д. Э́то вы́ход.

「はい、これは入り口です。/いいえ、これは入り口ではありません。これは出口です」

– Э́то ча́й? 「これはお茶かな?」

– **Да́**, ча́й. / **Не́т**, э́то во́дка!!

「うん、お茶だよ。/ううん、これはウォッカでしょ!!」

23

ロシア語には«Во́дка не чай – много не выпьешь.»「ウォッカはお茶ではないからたくさんは飲めない」という言い回しがあります。アルコール度数の高いウォッカをがぶがぶ飲んではいけませんよ、という戒めの表現です。でもこの表現をちょっと変えて、«Чай не во́дка – мно́го не вы́пьешь.»「お茶はウォッカではないからたくさんは飲めない」と冗談で言うことも。お酒に強い人の多いロシアならでは、ですね(笑)。

24

第1章 簡単な平叙文と疑問文

チャレンジ! 実践会話 A-18

オフィスビルで迷ってしまった人が、出口がどこか尋ねます。

А́нна: Извини́те, **где́ вы́ход?**

Прохо́жий 1: Наве́рное, во́н та́м.

А́нна: Спаси́бо! (ドアを開けようとするが開かない)
Извини́те, э́то вы́ход?

Прохо́жий 2: Не́т, э́то не вы́ход. Э́то о́фис.

А́нна: О́й, извини́те! (別のドアを見つける)
Извини́те, э́то вы́ход?

Прохо́жий 3: Не́т. Э́то туале́т.

А́нна: Бо́же мо́й! **Где́ же вы́ход!?**

アンナ: すみません、出口はどこですか?
通りすがりの人1: たぶんあそこです。
アンナ: ありがとうございます! (ドアを開けようとするが開かない)
すみません、これは出口ですか?
通りすがりの人2: いいえ、これは出口ではありませんよ。これはオフィスです。
アンナ: ああ、すみません! (別のドアを見つける)
すみません、これは出口ですか?
通りすがりの人3: いいえ。これはトイレですよ。
アンナ: え一! 出口はどこ!?

語注
Бо́же мо́й! おやまあ、ええっ! (驚きや困惑、喜びなどを表す表現。直訳すると「私の神様よ!」)
же いったい(強調)　наве́рное たぶん　о́й ああ、おっと　о́фис オフィス
прохо́жий 通行人、通りすがりの人　спаси́бо ありがとう　туале́т トイレ

25

チャレンジ! 実践会話

学習した項目が含まれたリアルな会話に触れてみましょう。実際のロシア人の話し方に近いものです。音声を聴いてまねしてみることで、会話力がアップします。

練習問題に挑戦しよう

いろいろなパターンの問題を解きながら、その課のポイントを身につけていきましょう。一部リスニング問題もあります。特に注意すべき問題は、解答ページで解説を加えてあります。

練習問題に挑戦しよう　　第1章 簡単な平叙文と疑問文

1 下の単語を参考にしながら、次の文をロシア語で言ってみましょう。
(1) これはコーヒーです。
(2) これは水です。
(3) これは入り口です。
(4) これは出口ですか?
(5) これは雑誌ですか?
(6) ヴィクトルはフィギュアスケート選手ですか?

参考の単語
вода́ 水　вхо́д 入り口　вы́ход 出口
журна́л 雑誌　ко́фе コーヒー
фигури́ст フィギュアスケート選手

2 次の文を否定文に変えましょう。
(1) Ми́ша студе́нт. ミーシャは学生です。
(2) Э́то ча́й. これはお茶です。
(3) Ви́ктор журнали́ст. ヴィクトルはジャーナリストです。
[журнали́ст = ジャーナリスト]

3 例にならって、次に示したものがどこにあるかロシア語で質問してみましょう。
例 туале́т トイレ → **Где́ туале́т?**
(1) метро́ (地下鉄)
(2) во́дка (ウォッカ)
(3) о́фис (オフィス)
(4) журна́л (雑誌)

4 朗読音声を聴いてロシア語で書き取り、それを日本語に訳してみましょう。 A-19
(1)
(2)
(3)
(4)
(5)
(6)

26　　解答は196ページ　27

音声ダウンロードについて

本書で🔊マークがついているロシア語の音声をNHK出版サイトからダウンロード できます。

まずはこちらへアクセス!

https://nhktext.jp/db-russian

NHK出版サイトで該当書名を検索して探すこともできます。

本書音声のパスコード c52a3wyh

- スマホやタブレットでは、NHK出版が提供する無料の音声再生アプリ「語学プレーヤー」でご利用ください。
- パソコンでは、mp3 形式の音声ファイルがダウンロードできます。
- 複数の端末にダウンロードしてご利用いただけます。

◆ NHK出版サイトの会員登録が必要です。詳しいご利用方法やご利用規約は上記Webサイトをご覧ください。

◆ ご提供方法やサービス内容、ご利用可能期間は変更する場合があります。あらかじめご了承ください。

◆ QRコードは株式会社デンソーウェーブの登録商標です。

お問い合わせ窓口

NHK出版 デジタルサポートセンター

Tel. 0570-008-559 (直通: 03-3534-2356)

受付時間 10:00-17:30 (年末年始・小社指定日を除く)

ダウンロードやアプリのご利用方法など、購入後のお取り扱いに関するサポートを承ります。

この本の表記について

この本で用いている記号や表記、略号についてご説明します。

❶ アクセント記号

単語のアクセントのある箇所には(ˊ)という記号をつけて表しました。このアクセント記号はロシアでは辞書や教科書、子供向けの本でだけ用いられるもので、一般の文書や書籍などにはついていません。記号のついていない単語にはアクセントがないことになります。

вы́(**ы**にアクセント)　**вода́**(**а**にアクセント)　**на**(アクセントなし)

ёには必ずアクセントがあるので、**ё**を含む単語にはアクセント記号をつけていません。

тётя(**ё**にアクセント)

まれに主要なアクセントのほか、もう1か所、強めに発音する副次的なアクセントが置かれる単語があります。これは第2アクセントと呼ばれ、(ˋ)という記号で表します。

по̀слеза́втра(**а**に第1アクセント、**о**に第2アクセント)

❷ 発音のカナ表記

この本では、まだロシア語の発音に慣れていない方のために、カナでなるべく発音を書き添えるようにしています(第11課からは最初の会話例のみ)。ただし、ロシア語の正しい発音をカナで表記することはできないので、あくまで目安と考えてください。基本的にカタカナを用いていますが、一部の音は他の音との区別のため、ひらがなで表記します。

ла ラ　←→　**ра** ら　　　**фу** フ　←→　**ху** ふ

それぞれの音の発音のしかたについては、p.14～15をご参照ください。

❸ 語句の略号

「この課で覚えたい語句」「語注」で用いている略号の例です。

[男]＝男性名詞　[女]＝女性名詞　[中]＝中性名詞　①＝第1変化動詞
②＝第2変化動詞　〔完〕＝完了体動詞　〔不完〕＝不完了体動詞

ロシア語のアルファベット

ロシア語のアルファベットは全部で33文字。活字体と筆記体があり、それぞれに大文字と小文字があります。左が大文字、右が小文字です。

🔈 A-02

活字体	筆記体	名称	音
А а	*А а*	アー	a
Б б	*Б б*	ベー	b
В в	*В в*	ヴェー	v
Г г	*Г г*	ゲー	g
Д д	*Д д*	デー	d
Е е	*Е е*	イェー	je
Ё ё	*Ё ё*	イョー	jo
Ж ж	*Ж ж*	ジェー	ʒ
З з	*З з*	ゼー	z
И и	*И и*	イー	i
Й й	*Й й*	イー・クらートカエ	j
К к	*К к*	カー	k
Л л	*Л л*	エル	l
М м	*М м*	エム	m
Н н	*Н н*	エヌ	n
О о	*О о*	オー	o

＊ъ、ы、ьはふつう語頭に来ることがないため、筆記体の大文字がありません。
＊それぞれの文字の発音のしかたはp.14～15で説明しています。

活字体	筆記体	名称	音
П п	П п	ペー	p
Р р	Р р	エる	r
С с	С с	エス	s
Т т	Т т	テー	t
У у	У у	ウー	u
Ф ф	Ф ф	エフ	f
Х х	Х х	はー	x
Ц ц	Ц ц	ツェー	ts
Ч ч	Ч ч	チェー	tʃ’
Ш ш	Ш ш	シャー	ʃ
Щ щ	Щ щ	シシャー	ʃ’ʃ’
Ъ ъ	ъ	トヴョーるドゥイ・ズナーク	—
Ы ы	ы	ゥイ	ɨ
Ь ь	ь	ミャーひキー・ズナーク	—
Э э	Э э	エー	e
Ю ю	Ю ю	ユー	ju
Я я	Я я	ヤー	ja

ロシア語の文字と発音

ロシア語のアルファベットは、それぞれ発音が決まっています。ここには、口の構え、正しい音を出すコツなどをまとめました。この解説を参考にしながら、「発音してみましょう」(p.16～19)でしっかり練習して身につけましょう。

а 母音で、日本語の「ア」と同じ発音です。

б 日本語のバ行の子音の部分に相当します。**ба**と書かれていれば、「バ」と読みます。

в 上の前歯で下唇を軽く噛んで「ヴ」と発音します。**ва**は「ヴァ」と読みます。

г 日本語のガ行の子音の部分の音です。ただし、鼻濁音にはせず、強くはっきり発音しましょう。**га**と書かれていれば、「ガ」と読みます。

д 日本語で「ダ」と言うときの子音の部分に相当します。**да**は「ダ」と読みます。

е 母音で、「イェ」と発音します。**бе**は「ビェ」、**ге**は「ギェ」、**де**は「ヂェ」と読みます。

ё 母音で必ずアクセントがあるので、長くのばして「イョー」と発音します。**бё**は「ビョー」、**гё**は「ギョー」、**дё**は「ヂョー」と読みます。

ж 口をすぼめて突き出し、舌をスプーンのようにくぼませて舌先を立て、舌先が上あごに触れないようにして「ジュ」と発音します。日本語の「ジュ」と違って、口の中でこもったような音になります。**жа**は「ジャ」、**же**は「ジェ」、**жё**は「ジョー」と読みます。

з 日本語のザ行の子音の部分と似ているように聞こえるかもしれませんが、日本語のザ行と違って、舌先は上あごにつけず、舌と歯の間から息を出して「ズ」と発音します。**за**は「ザ」、**зе**は「ジェ」、**зё**は「ジョー」と読みます。

и 母音で、「イ」と発音します。**би**は「ビ」、**ви**は「ヴィ」、**ги**は「ギ」、**ди**は「ヂ」、**зи**は「ジ」と読みます。

й 文字の名前は「イー・クらートカエ(短いイ)」。日本語の「ヤ／ユ／ヨ」を分解すると、「ィ」+「ア／ウ／オ」となりますが、その最初の部分の小さい「ィ」の音に相当します(発音記号で表すと[j])。母音ではなく、子音なので注意しましょう。**ай**は「アィ」、**ей**は「イェィ」と読みます。

к 日本語のカ行の子音の部分の音です。**ка**は「カ」、**ки**は「キ」、**ке**は「キェ」、**кё**は「キョー」と読みます。

л 英語の**L**と似た音で、舌先を上の前歯の裏につけ、その左右の両側のすきまから息を出して「ル」と発音します。**ла**は「ラ」、**ли**は「リ」、**ле**は「リェ」、**лё**は「リョー」と読みます。

м 日本語のマ行の子音の部分の音です。**ма**は「マ」、**ми**は「ミ」、**ме**は「ミェ」、**мё**は「ミョー」と読みます。

н 日本語のナ行の子音の部分の音です。**ни**は「ニ」、**не**は「ニェ」です。

о 母音で、「オ」と発音します。日本語の「オ」よりも、唇を丸めて突き出します。

п 日本語のパ行の子音の部分の音です。**пе**は「ピェ」、**по**は「ポ」です。

р 舌先を上前歯の少し手前につけ、それをぶるぶるっと震わせて「る」と発音します。この巻き舌の**р**は、本書では**л**と区別するためにひらがなで表記します。たとえば**ро**は「ろ」、**ар**は「アる」となります。

с 日本語のサ行の子音の部分の音です。**си**は「シ」、**сё**は「ショー」です。

т 日本語で「タ」と言うときの子音の部分に相当します。**та**は「タ」、**ти**は「チ」、**те**は「チェ」です。

у 母音で、「ウ」と発音します。日本語の「ウ」よりも、唇を丸めて突き出します。

ф 英語の**F**と同じ音。上の前歯で下唇を軽く噛んで「フ」と発音します。**фу**は「フ」、**фа**は「ファ」です。

х 日本語で近いのはハ行の子音の音ですが、ロシア語の**х**は、舌の後ろと上あごの奥の部分を狭めて強く息をこすり出して発音します。「ク」の口の形をして、声を出さずに息だけ漏らしたときの音です。本書では**ф**と区別するため、ひらがなの「はひふへほ」で表記します。

ц 日本語で「ツ」と言うときの子音の部分の音。**ца**は「ツァ」、**цу**は「ツ」、**цо**は「ツォ」です。

ч 日本語で「チェ」と言うときの子音の部分の音。**ча**は「チャ」、**чу**は「チュ」、**чо**は「チョ」です。

ш 口の形や舌の位置は**ж**と同じですが、「ジュ」ではなく「シュ」と発音します。**ша**は「シャ」、**шу**は「シュ」、**шо**は「ショ」です。

щ 日本語で「しーっ」と言うときの子音部分の音です。**ща**なら「シャ」を、「シ」の子音部分を長く発音する感じで読みます。

ъ 文字の名前は「トヴョーるドゥイ・ズナーク（硬音記号）」。直前の子音をそのあとの母音から分離して発音するための記号です。

ы 母音で、「イ」の口の形をしたまま、唇を動かさずに「ウ」と「イ」の中間のような音を出します。**лы**は「ルィ」、**ны**は「ヌィ」と読みます。

ь 文字の名前は「ミャーひキー・ズナーク（軟音記号）」。子音のあとにつけて、その子音に「イ」段の音感を加えます。**сь**は「シ」、**ть**は「チ」、**фь**は「フィ」を、母音を出さないように発音します。

э 母音で「エ」と発音します。**тэ**は「テ」、**дэ**は「デ」です。

ю 母音で「ユ」と発音します。**мю**は「ミュ」、**ню**は「ニュ」、**тю**は「チュ」です。

я 母音で「ヤ」と発音します。**ля**は「リャ」、**ня**は「ニャ」、**дя**は「ヂャ」です。

発音してみましょう

それでは、実際にロシア語の音を発音してみましょう。p.14〜15のそれぞれの文字の解説を参照しながら、音声をよく聴いてまねしてください。また、単語の発音にはつづりどおりに読まないルールがあるので、それも身につけましょう。

1 | 母音と子音の発音

❶ 母音の発音

母音を表す文字は以下の10個です。大きく**硬母音**、**軟母音**に分かれます。それぞれ発音してみましょう。 A-03

硬母音 **а ы у э о**

軟母音 **я и ю е ё**

❷ 子音＋母音の発音

母音**a**をつけて、それぞれの子音を発音してみましょう。 A-04

ба ва га да жа за ка ла ма на

па ра са та фа ха ца ча ша ща

日本人が注意したい子音と母音の組み合わせを発音してみましょう。 A-05

жа жу жо жё

за зы зу зэ зо зя зи зю зе зё

ла лы лу лэ ло ля ли лю ле лё

ра ры ру рэ ро ря ри рю ре рё

ха ху хо хи хе хё / ца цу цо

ча чу чо чи че чё / ша шу шо шё

ща щу що щи ще щё

т/д ＋**軟母音**の組み合わせは、つづりから想像される音と異なるかもしれませんので、よく聴いてください。 A-06

та ты ту тэ то тя ти тю те тё

да ды ду дэ до дя ди дю де дё

❸ йの発音

йは子音として扱われますが、短い「イ」のような発音です。母音のあとに出てきます。 A-07

ай　ий　уй　ей　ой

рай　кий　луй　сей　цой

❹ ьの発音

ьは前の子音に「イ」段の音感を加え、母音を言わないように発音します。 A-08

ль　мь　нь　пь　рь　сь　ть

❺ ъの発音

ъは前の子音をその後ろの母音と切り離して発音します。ъがある場合とない場合を比べてください。 A-09

бё / бъё　бя / бъя　ве / въе　де / дъе

2 | 単語を発音するときのルール

ここまでできたら、あとは基本的にローマ字と同じように書いてあるとおりに読めば発音できます。ただし、いくつか発音の規則があり、書いてあるとおりではない読み方をすることもあります。

(1) アクセント

A-10

ロシア語ではふつう、単語にはアクセントがあります。アクセントのある位置の母音は、強く長く発音されます。本書では、各単語のアクセントのある位置に「´」の記号を打ってあります。ただし、一部アクセントのない単語もあり、その場合は次に続く単語とひと続きに発音します。

сала́т「サラダ」サラート　**ры́ба**「魚」るィーバ

не зна́ю「(私は)知りません」ニズナーユ

ёには必ずアクセントが置かれます。

идёт「行く」イヂョート

(2) 発音のルール［1］ 母音の弱化

A-11

アクセントがない**o, я, e**は、少し発音のしかたが変わります。この現象のことを「**母音の弱化**」と呼びます。

❶ **o**は、アクセントがある場合は「**オー**」と読まれますが、アクセントがない場合には弱く短い「**ア**」と発音されます。

Москвá 「モスクワ」 マスクヴァー（「モスクヴァー」ではない）

водá 「水」 ヴァダー（「ヴォダー」ではない）

❷ **я**は、アクセントがある場合「**ヤー**」と強く長く発音しますが、アクセントがない場合には弱く短い「**イ**」または「**イェ**」に近い音になります。

япóнка 「日本人女性」 イポーンカ（「ヤポーンカ」ではない）

ただし、アクセントのない**я**が語尾にある場合は、軽くあいまいに「**ヤ**」と読みます。

Япóния 「日本」 イポーニヤ（「ヤポーニヤ」「イポーニイ」「ヤポーニイ」ではない）

❸ **e**は、アクセントがある場合「**イェー**」と強く長く発音しますが、アクセントがない場合には短く弱い「**イ**」または、「**イ**」と「**イェ**」の中間のような音になります。

ещё 「まだ」 イッショー（「イェッショー」ではない）

менió 「メニュー」 ミニュー（「ミェニュー」ではない）

ただし、アクセントのない**e**が語尾にある場合は、軽くあいまいに「**イェ**」または「**エ**」と読みます。

кóфе 「コーヒー」 コーフェ（「コーフィ」ではない）

(3) 発音のルール［2］ 子音の無声化と有声化

A-12

ロシア語の子音は、「**有声音**」（息で声帯を震わせて出す音）と「**無声音**」（息で声帯を震わせずに出す音）に分かれます。このうち、口の形は同じで、有声音と無声音でペアを組んでいる子音が6組あります。

б [ブ]	в [ヴ]	г [グ]	д [ド]	з [ズ]	ж [ジュ]	有声音
п [プ]	ф [フ]	к [ク]	т [ト]	с [ス]	ш [シュ]	無声音

ロシア語では、ペアを組む有声音と無声音の発音が交替することがあります。

❶ 語末に有声音の子音が来る場合、ペアを組む無声音の子音に変わります（無声化）。

вы́ход 「出口」 ヴィーはト（「ヴィーはド」ではない）

пиро́г 「パイ」 ピろーク（「ピろーグ」ではない）

❷ 有声音と無声音の子音が連続すると、前にある有声音が、ペアを組む無声音の子音に変わります（無声化）。

во́дка 「ウォッカ」 ヴォートカ（「ヴォードカ」ではない）

вхо́д 「入り口」 フほート（「ヴほート」ではない。語末のдも無声化する）

❸ 無声音к, т, сの後ろに有声音б, г, д, з, жが続くと、к, т, сはそれぞれペアを組む有声音г, д, зに変わります（有声化）。

футбо́л 「サッカー」 フドボール（「フトボール」ではない）

вокза́л 「駅」 ヴァグザール（「ヴァクザール」ではない）

(4) 例外的な発音

A-13

他にも、単語によってはつづりのとおりに発音しないこともあります。これは出てくるたびに一つ一つ覚えましょう。

- гをвと読むもの

сего́дня 「今日」 シヴォードニャ（「シゴードニャ」ではない）

- чをшと読むもの

что́ 「何」 シュトー（「チトー」ではない）

- 書いてある字を読まないもの

Здра́вствуйте! 「こんにちは！」 ズドらーストヴイチェ
（「ズドらーフストヴイチェ」ではない。5文字目のвは読まない）

第1課

簡単な平叙文と疑問文

Гдé вхóд?

入り口はどこですか？

これを学ぼう！

□「〜は…である」「〜がいる、ある」という場合、普通は動詞を用いずに表す。

□ 疑問文はイントネーションを変えたり、疑問詞を使ったりして表す。

これができる！

□ 場所を尋ねることができるようになる。

□「これは〜ですか?」「はい／いいえ」という会話ができるようになる。

これから学ぶこと

- ロシア語では、「〜である、いる、ある」を表す動詞（英語のbe動詞に相当）は、現在時制のとき普通省略されます。そのため、「AはBです」と言いたいときは、「A」「B」という順番で単語を並べるだけでOKです。→ 1
- 否定文を作るときは、否定したい語の前に**не**を入れます。→ 1
- 「AはBですか?」と聞くときは、「AはBです」という文の形はそのままで、文末のピリオドを「?」に替えます。読むときはイントネーションを変えます。どこをどう変えるのかを確認しましょう。→ 2
- 「〜はどこですか?」と聞くときは、«**Гдé ~?**»と言います。→ 3

実際の会話例を見てみましょう

場所を尋ねる

A-14

A Извини́те, **где́ вхо́д?**
イズヴィ**ニー**チェ　**グヂェー**　フ**ほー**ト

B Во́н та́м.
ヴォーン　**ター**ム

A Э́то вхо́д?
エータ　フ**ほー**ト

C Да́, э́то вхо́д.
ダー　**エー**タ　フ**ほー**ト

A：すみません、入り口はどこですか?

B：あそこですよ。

A：これは入り口ですか?

C：はい、これは入り口です。

この課で覚えたい語句

□ вода́ 水　□ во́дка ウォッカ　□ во́н (遠いところにあるものを指して)ほら

□ во́т (近いところにあるものを指して)ほら　□ вхо́д 入り口　□ вы́ход 出口

□ где́ どこに　□ да́ はい　□ журна́л 雑誌

□ журнали́ст ジャーナリスト　□ зде́сь ここに　□ извини́те すみません

□ ко́фе コーヒー　□ метро́ 地下鉄　□ не ～ではない　□ не́т いいえ

□ студе́нт 学生　□ та́м あそこに　□ фигури́ст フィギュアスケート選手

□ ча́й お茶　□ э́то これ

この課のポイント

1 「AはBです」「AはBではありません」

A-15

「AはBです」と言うときは、単に「A」「B」という順番で単語を並べます。読むときは文末をなだらかに下げましょう。

Ми́ша студе́нт. ミーシャは学生です。
ミーシャ ストゥヂェーント

Ви́ктор фигури́ст. ヴィクトルはフィギュアスケート選手です。
ヴィークタる フィグリースト

主語と述語の間にダッシュ（–）を入れて、«**Ми́ша – студе́нт.**»のように書くこともあります。

「～は…である」「～がいる、ある」を表す動詞（英語のbe動詞に相当）は、現在時制では普通省略されるのがロシア語の特徴です。

「これは～です」は«**Э́то ～.**»と言います。

Э́то вхо́д. これは入り口です。
エータ フほート

否定文を作るときは、否定したい語の前に**не**を入れます。「AはBではありません」なら«**A не B.**»と言います。

Ви́ктор не студе́нт. ヴィクトルは学生ではありません。
ヴィークタる ニストゥヂェーント

Во́дка не ча́й. ウォッカはお茶ではありません。
ヴォートカ ニチャーイ

Э́то не вхо́д. これは入り口ではありません。
エータ ニフほート

неは通常アクセントがなく、次に続く単語とひと続きに発音します。

2 疑問詞のない疑問文(「AはBですか?」)

A-16

疑問詞のない疑問文を作るときは、文末のピリオドを「?」に替えるだけです。読むときは、疑問の中心となる語のアクセントがある部分を高く、強く発音します。以下の例の赤い罫線は、音の高低の例です。

Э́то во́дка? これはウォッカですか?
エータ ヴォートカ

上の例文だと「ウォッカですか?」がいちばん聞きたいポイントなので、**во́дка**のアクセントがある**во́**の部分が高く、強くなります。

Э́то ча́й? これはお茶ですか?
エータ チャーイ

Ми́ша студе́нт? ミーシャは学生ですか?
ミーシャ ストゥヂェーント

答えるときは、「はい」が«**да́**»で、「いいえ」が«**не́т**»です。「はい/いいえ」だけだとさびしいので、何か一言つけ加えるといいですよ。

— Э́то вхо́д? 「これは入り口ですか?」
エータ フほート

— **Да́**, э́то вхо́д. / **Не́т**, э́то не вхо́д. Э́то вы́ход.
ダー エータ フほート ニェート エータ ニフほート エータ ヴィーはト

「はい、これは入り口です。/いいえ、これは入り口ではありません。これは出口です」

— Э́то ча́й? 「これはお茶かな?」
エータ チャーイ

— **Да́**, ча́й. / **Не́т**, э́то во́дка!!
ダー チャーイ ニェート エータ ヴォートカ

「うん、お茶だよ。/ううん、これはウォッカでしょ!!」

3 疑問詞のある疑問文（1）где́

🔈A-17

「〜はどこですか？」と質問したいときは、«**Где́ ~?**»と言います。「〜」の部分にいろいろな単語を入れて聞いてみましょう。

🔈 **Где́** Ми́ша?　ミーシャはどこですか？
グヂェー　ミーシャ

🔈 **Где́** вхо́д?　入り口はどこですか？
グヂェー　フほート

🔈 **Где́** метро́?　地下鉄はどこですか？
グヂェー　ミトろー

答え方は、まずはいちばんシンプルな言い方を覚えましょう。

🔈 Во́н та́м.　ほら、あそこです。
ヴォーン　ターム

🔈 Во́т зде́сь.　ほら、ここです。
ヴォート　ズヂェーシ

во́нと**во́т**は、どちらも何か人や物を指し示すときに言う「ほら」という表現ですが、遠くにある場合は**во́н**、近くにある場合は**во́т**を使います。

あとは身振り手振りと度胸があれば、もうあなたもロシア語で道を聞けるし、道案内だってできますよ！

Перерыв ちょっと休憩

ロシア語には«**Во́дка не ча́й – мно́го не вы́пьешь.**»「ウォッカはお茶ではないからたくさんは飲めない」という言い回しがあります。アルコール度数の高いウォッカをがぶがぶ飲んではいけませんよ、という戒めの表現です。でもこの表現をちょっと変えて、«**Ча́й не во́дка – мно́го не вы́пьешь.**»「お茶はウォッカではないからたくさんは飲めない」と冗談で言うことも。お酒に強い人の多いロシアならでは、ですね（笑）。

チャレンジ! 実践会話

A-18

オフィスビルで迷ってしまった人が、出口がどこか尋ねます。

А́нна : Извини́те, **где́ вы́ход?**

Прохо́жий 1 : Наве́рное, во́н та́м.

А́нна : Спаси́бо! (ドアを開けようとするが開かない)
Извини́те, э́то вы́ход?

Прохо́жий 2 : Не́т, э́то не вы́ход. Э́то о́фис.

А́нна : О́й, извини́те! (別のドアを見つける)
Извини́те, э́то вы́ход?

Прохо́жий 3 : Не́т. Э́то туале́т.

А́нна : Бо́же мо́й! **Где́ же вы́ход!?**

アンナ：すみません、**出口はどこですか?**
通りすがりの人1：たぶんあそこです。
アンナ：ありがとうございます!(ドアを開けようとするが開かない)
すみません、これは出口ですか?
通りすがりの人2：いいえ、これは出口ではありませんよ。これはオフィスです。
アンナ：ああ、すみません!(別のドアを見つける)
すみません、これは出口ですか?
通りすがりの人3：いいえ。これはトイレですよ。
アンナ：え〜! **出口はどこ!?**

語注

Бо́же мо́й! おやまあ、ええっ!(驚きや困惑、喜びなどを表す表現。直訳すると「私の神様よ!」)
же いったい(強調)　наве́рное たぶん　о́й ああ、おっと　о́фис オフィス
прохо́жий 通行人、通りすがりの人　спаси́бо ありがとう　туале́т トイレ

1 下の単語を参考にしながら、次の文をロシア語で言ってみましょう。

(1) これはコーヒーです。

(2) これは水です。

(3) これは入り口です。

(4) これは出口ですか?

(5) これは雑誌ですか?

(6) ヴィクトルはフィギュアスケート選手ですか?

参考の単語

вода́ 水　вхо́д 入り口　вы́ход 出口
журна́л 雑誌　ко́фе コーヒー
фигури́ст フィギュアスケート選手

2 次の文を否定文に変えましょう。

(1) Ми́ша студе́нт. ミーシャは学生です。

(2) Э́то ча́й. これはお茶です。

(3) Ви́ктор журнали́ст. ヴィクトルはジャーナリストです。

〔журнали́ст = ジャーナリスト〕

---

3 例にならって、次に示したものがどこにあるかロシア語で質問してみましょう。

例 туале́т トイレ → **Где́ туале́т?**

(1) метро́ (地下鉄)

(2) во́дка (ウォッカ)

(3) о́фис (オフィス)

(4) журна́л (雑誌)

4 朗読音声を聴いてロシア語で書き取り、それを日本語に訳してみましょう。 A-19

(1)

(2)

(3)

(4)

(5)

(6)

解答は196ページ

第2課

基本の疑問詞と人称代名詞

Ктó э́то?

これは誰？

これを学ぼう！

□ 「誰」「何」を表す疑問詞はそれぞれ **ктó**、**чтó** という。
□ ロシア語には8種類の人称代名詞がある。

これができる！

□ 知らない人や物について「誰?」「何?」と尋ねることができるようになる。
□ 「私」「あなた」「彼」などの人称代名詞を使えるようになる。

これから学ぶこと

- 「これは誰ですか?」は«**Ктó э́то?**»、「これは何ですか?」は«**Чтó э́то?**»と言います。→ 1
- ロシア語では語順が厳密に決まっているわけではないので、必ずしも疑問詞を文頭に置く必要はなく、«**Э́то чтó?**»«**Э́то ктó?**»という言い方も可能です。→ 1
- ロシア語には「私」「あなた」「彼」などを表す人称代名詞があります。このうち会話の相手を表す2人称は、相手が親しいか、そうでないかによって言い方が変わります。→ 2

実際の会話例を見てみましょう

写真を見る

A-20

A **Кто́ э́то?**
クトー エータ

B Э́то па́па.
エータ パーパ

О́н журнали́ст.
オーン ジュるナリースト

A А э́то?
ア エータ

B Э́то ма́ма. Она́ вра́ч.
エータ マーマ アナー ヴらーチ

A：これは誰?

B：これはお父さん。
彼はジャーナリストなの。

A：じゃあこれは?

B：こっちはお母さん。彼女はお医者さんよ。

この課で覚えたい語句

- □ а では、一方
- □ вра́ч 医師
- □ вы́ あなた、君たち、あなたたち
- □ кто́ 誰
- □ ма́ма お母さん
- □ мы́ 私たち
- □ о́н 彼
- □ она́ 彼女
- □ они́ 彼ら、それら
- □ оно́ それ
- □ па́па お父さん
- □ тури́ст 観光客
- □ ты́ 君
- □ что́ 何
- □ я́ 私

この課のポイント

1 疑問詞のある疑問文(2) кто́ と что́

A-21

кто́ は「誰」、**что́** は「何」を意味する疑問詞です。**э́то**「これ」と組み合わせると、「これは何／誰ですか？」と聞けるようになります。

что́ は例外的な発音をする語で、**ч** の部分が **ш** と読まれるので、注意しましょう。

– **Кто́** э́то? – Э́то ма́ма.
クトー エータ エタ ママ
「これは誰ですか？」「これはママです」

– **Что́** э́то? – Э́то журна́л.
シュトー エータ エータ ジュるナール
「これは何ですか？」「これは雑誌です」

なお、ロシア語では語順が厳密に決まっているわけではなく、必ずしも疑問詞を文頭に置く必要はないため、下のような語順で言うこともできます。

Э́то **кто́**? – Э́то Ми́ша!
エータ クトー エータ ミーシャ
「これ、誰だっけ？」「ミーシャだよ！」

– Э́то **что́**? – Э́то во́дка!
エータ シュトー エータ ヴォートカ
「これ、何？」 「ウォッカだよ！」

кто́ は漠然と「誰」と聞くだけではなく、職業やどういうことをしている人なのかを尋ねるときにも使えます。

– **Кто́** о́н? – О́н журнали́ст.
クトー オーン オーン ジュるナリースト
「彼は何をしている人なの？」「彼はジャーナリストです」

連続して「ではこれは？」と聞きたいときは、**А э́то?** と言います。**а** は「では、一方」を表す接続詞で、イントネーションは一旦下げてから、文末でぐっと上がります。

А э́то?　ではこれは？
ア　エータ

朗読音声をよく聴いて、まねしてみましょう。

— Что́ э́то?　「これは何ですか？」
シュトー　エータ

— Э́то ко́фе.　「これはコーヒーです」
エータ　コーフェ

— **А э́то?**　「ではこれは？」
ア　エータ

— Э́то ча́й.　「これはお茶です」
エータ　チャーイ

Перерыв ちょっと休憩

日本語の「誰」は人に対してしか使いませんが、ロシア語の **кто́** は人だけではなく、動物に対しても使います。たとえば動物園や自然の中で見たことのない動物を目にしたとき、«**Что́ э́то?**» ではなく «**Кто́ э́то?**» と言います。ロシア語では、人か動物かにかかわらず、「生きて動いているもの」は同じカテゴリーのものと認識されていて、「生きて動いていないもの」とは区分するのです。実はこれ、ロシア語ではけっこう大事な話。なぜかって？　その答えは第16課で説明しますので、どうぞお楽しみに！

2 人称代名詞

A-22

「私」「あなた」「彼女」などを表す語のことを「人称代名詞」と言います。ロシア語の人称代名詞は、全部で８種類あります。

	単数		複数	
1人称	**я́**	私	**мы́**	私たち
2人称	**ты́**	君	**вы́**	①君たち、あなたたち ②あなた
3人称	**о́н** **она́** **оно́**	彼 彼女 それ	**они́**	彼ら、それら

注意したいのは、２人称単数の**ты́**と、２人称複数の**вы́**です。**ты́**は親しい相手にしか使えません。親しくない相手や目上の人に対しては**вы́**を使います。

ты́ ➡ 親しい相手１人に対して使う
вы́ ➡ ①親しさに関わりなく、２人以上の相手に対して使う
②親しくない相手、もしくは敬意を表すべき相手１人に対して使う

上の表では、親しい相手＝「君」、親しくない相手＝「あなた」という日本語訳を当てていますが、これはあくまで便宜的な訳語だと思ってください。たとえば家族間では、ふつう日本語で「君」などとは言いませんが、ロシア語では親しい関係なので**ты́**を使います。

Где́ они́? 彼ら（それら）はどこですか？
グヂェー アニー

Я́ студе́нт. 私は学生です。
ヤー ストゥヂェーント

Вы́ тури́ст? あなたは観光客ですか？
ヴィー トゥリースト

チャレンジ! 実践会話

A-23

アルバムを見ているお母さんに女の子が話しかけます。

Ната́ша : Ма́ма, **что́ э́то?**

Ма́ма : Э́то мо́й ста́рый фо̀тоальбо́м.

Ната́ша : Интере́сно! **Кто́ э́то?**

Ма́ма : Э́то я́. Краса́вица, пра́вда?

Ната́ша : А э́то? Па́па?

Ма́ма : Не́т, э́то Ди́ма.

Ната́ша : Краса́вец! **Кто́ о́н?**

Ма́ма : Э́то секре́т!

ナターシャ：ママ、**これ何?**

ママ：私の古いアルバムよ。

ナターシャ：おもしろそう! **これは誰?**

ママ：私よ。美人でしょ?

ナターシャ：じゃあこっちは? パパかな?

ママ：いいえ、これはジーマよ。

ナターシャ：イケメンね! **何者なの?**

ママ：ナイショ!

語注

интере́сно おもしろい　краса́вец 美男子　краса́вица 美人　мо́й 私の

пра́вда (1)〔名詞〕真実 (2)〔述語〕本当だ(«Пра́вда?»と疑問形で言うと、「そうでしょう?」と相手に同意を求める表現になります)　секре́т 秘密　ста́рый 古い

фо̀тоальбо́м アルバム

1 日本語訳に合うように、(　)内に適切な人称代名詞を入れましょう。

(1) Кто́ (　　　　) ?　彼らは何をしている人ですか?

(2) Где́ (　　　　) ?　彼女はどこですか?

(3) (　　　　) зде́сь.　私たちはここです。

(4) (　　　　) вра́ч.　私は医師です。

(5) (　　　　) фигури́ст.　彼はフィギュアスケート選手です。

(6) (　　　　) студе́нт?　君は学生なのかい?

(7) (　　　　) журнали́ст?　あなたはジャーナリストですか?

2 例にならって、次の文が答えになる疑問文を言ってみましょう。

例 Э́то Ми́ша.　これはミーシャです。→ **Кто́ э́то?**

Э́то во́дка.　これはウォッカです。→ **Что́ э́то?**

(1) Э́то па́па.　これはパパです。

____

(2) Э́то мо́й о́фис.　これは私のオフィスです。

____

(3) Э́то Ната́ша.　これはナターシャです。

____

(4) Э́то ста́рый фо̀тоальбо́м. これは古いアルバムです。

(5) Э́то вода́. これは水です。

3 日本語訳に合うように、(　　)内に適切なロシア語を入れましょう。

(1) (　　　　　) она́? 彼女は何をしている人ですか?

(2) Э́то (　　　　　)? これは何?

(3) (　　　　　) э́то? ではこれは?

(4) Э́то мо́й (　　　　　). これは私のパパです。

4 朗読音声を聴いてロシア語で書き取り、それを日本語に訳してみましょう。 A-24

(1)

(2)

(3)

(4)

(5)

(6)

解答は196ページ

第3課

動詞の変化（1）

Что́ вы́ де́лаете?

何をしているの？

これを学ぼう！

□ **動詞は、主語の人称によって語尾が変化する。**

□ **語順が厳密に決まっているわけではないが、重要な語が後ろに置かれることが多い。**

これができる！

□ **動詞を使って、誰が何をしているのかを言えるようになる。**

□ **ロシア人の名前の仕組みを理解して、親しさの程度に応じて呼び分けられるようになる。**

これから学ぶこと

- 動詞は、主語の人称によって語尾の形が変化します。変化のパターンはいくつかありますが、この課では、**第1変化**と呼ばれるものについて学びます。→ 1
- ロシア語では語順のルールがドイツ語や英語などと比べて緩やかです。ただし、重要な語は後ろに置かれる傾向があります。→ 2
- ロシア人の名前にはファーストネームと姓の他に、父親の名前から作られる**父称**（ふしょう）というミドルネームがあります。相手に対して呼びかけるとき、「ファーストネーム+父称」を使うのがいちばん丁寧な言い方です。親しい相手には、ファーストネームの**愛称形**を使います。→ 3

実際の会話例を見てみましょう

知人との会話

A-25

A Са́ша, **что́ вы́ де́лаете?**
サーシャ シュトー ヴィー ヂェーライチェ

B Здра́вствуйте, Татья́на Никола́евна!
ズドらーストヴイチェ タチヤーナ ニカラーイヴナ

Я́ за́втракаю. А вы́?
ヤー ザーフトらカユ ア ヴィー

A Я́ гуля́ю.
ヤー グリャーユ

A：サーシャ、何をしているの?
B：タチヤナ・ニコラエヴナさん、こんにちは!
僕は朝食を取っているんです。あなたは?
A：私はお散歩をしているのよ。

この課で覚えたい語句

※この課から動詞を学びます。第1変化動詞は①、第2変化動詞は②、不規則変化動詞は〔不規則〕で示します。→ ❶

□ ба́бушка おばあちゃん □ гуля́ть 散歩する① □ де́душка おじいちゃん
□ де́лать する① □ за́втракать 朝食を取る① □ здра́вствуйте こんにちは
□ зна́ть 知っている① □ и ～と、そして
□ понима́ть 理解している、わかっている① □ рабо́тать 働く①
□ сего́дня 今日 □ сейча́с 今 □ ча́сто よく、しばしば
□ чита́ть 読む、読書する①

この課のポイント

1 動詞の変化（1） 第1変化

A-26

ロシア語の動詞は、主語の人称と単数か複数かによって語尾が変化します。変化のパターンは大きく分けて、①第１変化、②第２変化、③不規則変化の３種類。ここではまず、①～③の中でいちばんよく出てくる第１変化を学びましょう。

			語尾の形	例	
不定形			ть	де́лать する	рабо́тать 働く
単数	1人称	я́	-ю	де́лаю	рабо́таю
	2人称	ты́	-ешь	де́лаешь	рабо́таешь
	3人称	о́н*	-ет	де́лает	рабо́тает
複数	1人称	мы́	-ем	де́лаем	рабо́таем
	2人称	вы́	-ете	де́лаете	рабо́таете
	3人称	они́	-ют	де́лают	рабо́тают

＊３人称単数の主語としてはона、оноも含まれますが、以後онを代表として表記します。

変化させる前の元の形は「不定形」と呼びます。変化させるときは不定形の語尾-тьを取り除き、それぞれの人称に応じた語尾をつけます。

Что́ о́н де́лает сейча́с? 彼は今、何をしているのですか？
シュトー オーン ヂェーライト シィチャース

Сего́дня мы́ за́втракаем зде́сь.
シヴォードニャ ムィー ザーフトらカイム ズヂェーシ

今日、私たちはここで朝食を取ります。

Де́душка и ба́бушка ча́сто гу́ляют та́м.
ヂェードゥシュカ イ バーブシュカ チャースタ グリャーユト ターム

おじいちゃんとおばあちゃんはよくあそこで散歩します。

主語の人称・数と、動詞の語尾がきちんと対応しているところに注目してください。自然に語尾を変化させられるように、練習問題でしっかりトレーニングしましょう！

◆「～している」と「～する」

ロシア語には英語の進行形に相当するものがなく、文脈によっては動詞の現在形が進行形の意味を持つこともあります（例：**Что́ о́н де́лает сейча́с?** 彼は今、何をしているのですか？）。

2 ロシア語の語順

A-27

ロシア語では英語などと比べると、語順が厳密に決められているわけではありません。ただ、重要な語ほど後ろに置かれる傾向があります。

① – Кто́ гуля́ет та́м? – Та́м гуля́ет **де́душка**.
クトー グリャーイト ターム ターム グリャーイト ヂェードゥシュカ

「誰があそこで散歩しているの？」「あそこで散歩しているのはおじいちゃんだよ」

② – Что́ там де́лает ба́бушка? – Она́ та́м **гуля́ет**.
シュトー ターム ヂェーライト バーブシュカ アナー ターム グリャーイト

「あそこでおばあちゃんは何をしているの？」「彼女はあそこで散歩してるんだよ」

①では、「誰が？」と尋ねているのに対し、「おじいちゃんが」と答えています。②では、「何をしているの？」という質問に対して「散歩している」と答えています。それぞれ、いちばん相手に伝えたい重要な語がいちばん後ろに来ています。

ただ、語順が多少違っても、言いたいことはだいたい伝わります。あまり細かく気にせず、頭に浮かんだ単語からとにかく言葉にしてみる、ぐらいの気持ちでOKです！

3 ロシア人の名前

A-28

ロシア人の名前は「ファーストネーム」「父称（ミドルネーム）」「姓」という3つで構成されています。

◆ 父称（**о́тчество**）の作り方

「父称」は、その人の父親の名前から作られ、男性形（**-ович / -евич**）と女性形（**-овна / -евна**）があります。

- 父親が**Ви́ктор**の場合
  ➡ 息子の父称は**Ви́кторович**、娘の父称は**Ви́кторовна**
- 父親が**Никола́й**の場合
  ➡ 息子の父称は**Никола́евич**、娘の父称は**Никола́евна**

父親の名前の末尾が-еか-йか-ьのときは**-евич / -евна**になり、それ以外だと**-ович / -овна**です。

◆ 相手への呼びかけ方

敬意をこめて相手に呼びかけるときは、日本語の「～さん」や英語のMr.などのような敬称ではなく、「ファーストネーム＋父称」を使います。

親しい相手に対しては、ファーストネームの愛称形で呼ぶことが多いです。それぞれの名前によって、どういう愛称形になるかは慣習としてだいたい決まっています。代表的なものを見てみましょう（カッコの中が愛称形です）。

【男性名】	【女性名】
Алекса́ндр (Са́ша)	**А́нна (А́ня)**
Евге́ний (Же́ня)	**Екатери́на (Ка́тя)**
Ива́н (Ва́ня)	**Мари́я (Ма́ша)**
Михаи́л (Ми́ша)	**Ната́лья (Ната́ша)**
Никола́й (Ко́ля)	**Татья́на (Та́ня)**

冒頭の会話例や、右ページの「チャレンジ！実践会話」で誰がどう呼びかけているかに注目してみると、お互いの関係性が見えてきますね。

Перерыв ちょっと休憩

ファーストネームから作られる愛称形は、上に挙げたもの以外にもいろいろあります。**Мари́я**なら、**Ма́ша**の他に**Ма́шенька**や**Мару́ся**と呼ぶこともあります。**Алекса́ндр**は**Шу́ра, Шу́рик, Са́ня**などなど。もはや元の名前が何だかわからなくなりそうですね（笑）。

チャレンジ！ 実践会話

A-29

会社にて。上司が部下たちの働きぶりを見ています。

Начáльник : Михаúл, **чтó вы́ дéлаете сейчáс?**

Михаúл : **Я́ отдыхáю**, Марúя Ивáновна.

Начáльник : А вы́, Сергéй?

Сергéй : **Я́ зáвтракаю.**

Начáльник : А Николáй и Áнна? Гдé онú?

Михаúл : Онú вóн тáм. **Онú тáм гуля́ют.**

Начáльник : Бóже мóй, когдá же вы́ рабóтаете!?

上司：ミハイル、**今あなたは何をしているんですか?**

ミハイル：**私は休憩中です**、マリヤ・イヴァーノヴナさん。

上司：セルゲイ、あなたは?

セルゲイ：**私は朝食を食べています。**

上司：ニコライとアンナは?　彼らはどこにいるの?

ミハイル：ほらあそこです。**彼らはあそこで散歩しています。**

上司：まったくもう、あなたたちはいったいいつ働いているの!?

語注

когдá いつ　　начáльник 上司　　отдыхáть 休む①

1 次の動詞を人称変化させましょう（いずれも第1変化の動詞です）。

(1) зна́ть（知っている）

я́ ＿＿＿＿　ты́ ＿＿＿＿　о́н ＿＿＿＿
мы́ ＿＿＿＿　вы́ ＿＿＿＿　они́ ＿＿＿＿

(2) чита́ть（読む、読書する）

я́ ＿＿＿＿　ты́ ＿＿＿＿　о́н ＿＿＿＿
мы́ ＿＿＿＿　вы́ ＿＿＿＿　они́ ＿＿＿＿

(3) понима́ть（理解している）

я́ ＿＿＿＿　ты́ ＿＿＿＿　о́н ＿＿＿＿
мы́ ＿＿＿＿　вы́ ＿＿＿＿　они́ ＿＿＿＿

2 [　　]内の動詞を適切な形に変えましょう。

(1) Я́ не (　　　　). [зна́ть]
私は知りません。

(2) Вы́ (　　　　)? [понима́ть]
あなたはわかっていますか?

(3) Когда́ они́ (　　　　)? [рабо́тать]
いつ彼らは働くのですか?

(4) Что́ ты́ (　　　　)? [де́лать]
何してるの?

(5) Сейча́с мы́ (　　　　　). [за́втракать]

今、私たちは朝食を取っています。

(6) Где́ о́н (　　　　　) сего́дня? [отдыха́ть]

今日、彼はどこで休んでいるのですか?

3 ロシア語で書いてみましょう。

(1) あなたはどこで働いていらっしゃるのですか?

(2) 私は理解していません。

(3) 彼らはいつ散歩するのですか?

(4) 君は何を読んでるの?

4 朗読音声を聞いて、次の（　）内に入るロシア語を書きとってみましょう。 A-30

(1) – Ива́н Серге́евич, что́ вы́ (　　　　　) сейча́с?
– Я́ (　　　　) журна́л.

(2) – Са́ша, ты не (　　　　), где́ (　　　　)
А́нна?
Не (　　　　).

解答は196ページ

第4課

名詞の性と複数形

Э́то ва́ши па́пки?

これはあなたのファイルですか？

これを学ぼう！

□ 名詞には文法的な性別がある。

□ 名詞の複数形は語末の文字によって作り方が異なる。

これができる！

□ 名詞の単数と複数を区別できるようになる。

□ 「私の～」「あなたの～」などの表現を言えるようになる。

✵これから学ぶこと

- ロシア語の名詞には**文法的な性別**があり、基本的には語末の文字によって見分けることができます。→ ❶
- **名詞の複数形**は、語末の文字によって作り方が異なります。→ ❷
- ロシア語には**正書法の規則**と呼ばれるつづり方のルールがあります。連続してつづることのできない子音と母音の組み合わせがいくつかあり、複数形を作るときなどにその組み合わせになってしまう場合、別の母音をつづらなくてはなりません。→ ❸
- 「私の」「あなたの」などの**所有代名詞**は、名詞の性・数によって形が変化します。→ ❹

実際の会話例を見てみましょう

探し物

A-31

A **Э́то ва́ши па́пки?**
エータ ヴァーシ パープキ

B Да́, мои́.
ダー マイー

A А вы́ не зна́ете, где́ моя́ па́пка?
ア ヴィー ニズナーイチェ グヂェー マヤー パープカ

B Она́ во́н та́м.
アナー ヴォーン ターム

A：これはあなたのファイルですか?

B：はい、私のです。

A：ところで、私のファイルがどこにあるか知りませんか?

B：ほら、あそこですよ。

この課で覚えたい語句

□ва́ш あなた(たち)の、君たちの □вино́ ワイン □газе́та 新聞
□дя́дя おじさん □и́мя 名前 □кни́га 本 □мо́ре 海
□музе́й 美術館、博物館 □на́ш 私たちの □па́пка ファイル
□писа́тель 作家[男] □письмо́ 手紙 □Росси́я ロシア
□слова́рь 辞書[男] □сло́во 単語、言葉 □тво́й 君の
□тетра́дь ノート[女] □тётя おばさん □уче́бник 教科書
□Япо́ния 日本

1 名詞の性

A-32

ロシア語の名詞には文法的な性別があります。すべての名詞は男性名詞、中性名詞、女性名詞のいずれかに属し、多くの場合は語末の文字によって見分けることができます。

	語末			例
男性名詞	-子音	-й	-ь	вхóд(入り口) чáй(お茶) словáрь(辞書)
中性名詞	-о	-е	-мя*	винó(ワイン) мóре(海) и́мя(名前)
女性名詞	-а	-я	-ь	водá(水) Росси́я(ロシア) тетрáдь(ノート)

＊ -мяで終わる中性名詞は例外的なものなので、初級レベルではи́мя（名前）とврéмя（時間）だけ覚えておけば十分です。

- **-ь**で終わっている単語は、男性名詞と女性名詞の両方の可能性があるので、出てくるたびに一つずつ覚えていきましょう。
- 一度出た名詞を人称代名詞で受ける場合、男性名詞は**óн**、中性名詞は**онó**、女性名詞は**онá**を使います。

◆ -аや-яで終わる男性名詞

人や動物など、実際に性別があるものについては、語末の文字にかかわらず、文法的な性別も実際の性別と同じになります。

пáпа お父さん　дéдушка おじいちゃん　дя́дя おじさん

2 名詞の複数形

A-33

名詞の複数形は、語末の文字によって作り方が決まっています。

	語末		例	
	単数	複数	単数	複数
男性	-子音	-子音+ ы	журнáл 雑誌	журнáлы

	語末		例	
	単数	複数	単数	複数
男性	-й	-и	музе́й 美術館、博物館	музе́и
	-ь	-и	писа́тель 作家	писа́тели
中性	-о	-а	сло́во 単語	слова́
	-е	-я	мо́ре 海	моря́
女性	-а	-ы	газе́та 新聞	газе́ты
	-я	-и	тётя おばさん	тёти
	-ь	-и	тетра́дь ノート	тетра́ди

※-мяで終わる中性名詞はp.209の変化表を参照してください。

複数形になるとアクセントが移動するものもあるので注意しましょう。

сло́во → слова́　　мо́ре → моря́

-аや**-я**で終わる男性名詞は**-а**や**-я**で終わる女性名詞と同じように変化します。

па́па → па́пы　　дя́дя → дя́ди

Они́ **писа́тели**.　彼らは作家です。
アニー　ピサーチリ

Что́ де́лают **дя́ди**?　おじさんたちは何をしているの？
シュトー　ヂェーラユト　ヂャーヂ

Студе́нты отдыха́ют та́м.　学生たちはあそこで休んでいます。
ストゥヂェーントゥイ　アッドゥイはーユト　ターム

3 正書法の規則

г, к, х, ж, ч, ш, щという子音の後ろに母音**ы, ю, я**を続けてはならず、代わりに**и, у, а**をつづります。つづり方に関するこのルールを「正書法の規則」と言います（➡p.203参照）。

名詞の複数形を作るときも、正書法の規則が適用されることがあります。語幹（変化しない部分）が**г, к, х, ж, ч, ш, щ**で終わっている男性名詞・女性名詞の複数形の語尾は、**-ы**ではなく**-и**になります。

【単数】　　　　　　　　【複数】

учéбник（教科書）　➡　×учéбникы　➡　учéбники

врáч（医師）　➡　×врачы́　➡　врачи́

4 「私の」「君の」「私たちの」「あなた(たち)の・君たちの」 A-34

「誰それの」を表す語は「所有代名詞」と言います。第2課で学んだ人称代名詞には、それぞれ対応する所有代名詞があり、それらは修飾する名詞の性・数によって変化します。

まずは**я́**（私）、**ты́**（君）、**мы́**（私たち）、**вы́**（あなた、あなたたち、君たち）に対応する所有代名詞とその変化を覚えましょう。

	私の	君の	私たちの	あなた(たち)の、君たちの	名詞の例
男性形	мóй	твóй	нáш	вáш	＋ учéбник 教科書
中性形	моё	твоё	нáше	вáше	＋ письмó 手紙
女性形	моя́	твоя́	нáша	вáша	＋ пáпка ファイル
複数形	мои́	твои́	нáши	вáши	＋ пáпки ファイル〔複数〕

Гдé рабóтает **твоя́** мáма?　**君の**お母さんはどこで働いているの？
グ**ヂェー**　ら**ボー**タイト　トヴァ**ヤー**　**マー**マ

Тáм гуля́ет **нáш** дéдушка.
ターム　グリ**ャー**イト　**ナー**シュ　**ヂェー**ドゥシュカ

あそこで**うちの**おじいちゃんが散歩しています。

Óн читáет **вáше** письмó.　彼は**あなたの**手紙を読んでいます。
オーン　チ**ター**イト　**ヴァー**シェ　ピシ**モー**

チャレンジ! 実践会話

A-35

姉と弟がけんかしています。

Ми́ша : **Э́то моя́ игру́шка!**

Ка́тя : Не́т, не твоя́!
Э́то моя́ игру́шка!!

Ми́ша : Э́то мо́й шокола́д!

Ка́тя : Не́т, э́то мо́й шокола́д!!

Ма́ма : Бо́же мо́й, что́ вы́ де́лаете!?
Ми́ша, Ка́тя, **во́т ва́ши учё́бники и тетра́ди.**
Пора́ де́лать дома́шнее зада́ние!

ミーシャ : **これは僕のオモチャだよ!**

カーチャ : 違うよ、あんたのじゃないもん!
これはあたしのオモチャなの!!

ミーシャ : これは僕のチョコだよ!

カーチャ : 違うもん、これはあたしのチョコだってば!!

ママ : まったくもう、あんたたち、何をやってるの!?
ミーシャ、カーチャ、**ほら、あんたたちの教科書とノートよ。**
そろそろ宿題をする時間でしょ!

語注

дома́шнее зада́ние　宿題（дома́шнееは「家の」、зада́ниеは「課題」）

игру́шка　おもちゃ　　пора́+動詞不定形　～する時間だ　　шокола́д　チョコレート

練習問題に挑戦しよう

1 次の名詞の性別は何でしょうか?

(1) па́пка ファイル ______　(2) журна́л 雑誌 ______

(3) фо̀тоальбо́м アルバム ______　(4) зада́ние 課題 ______

(5) игру́шка おもちゃ ______　(6) письмо́ 手紙 ______

(7) ча́й お茶 ______　(8) Япо́ния 日本 ______

2 次の名詞を複数形に変えましょう。

(1) фо̀тоальбо́м アルバム ______

(2) ма́ма ママ ______

(3) тётя おばさん ______

(4) слова́рь 辞書[男] ______
※語尾にアクセントが移動します。

(5) зада́ние 課題 ______

(6) письмо́ 手紙 ______
※語幹にアクセントが移動します。

(7) музе́й 美術館、博物館 ______

3 次の名詞を複数形に変えましょう。

※すべて正書法の規則が適用されます。また、アクセントが移動するものもあります。

(1) игру́шка　おもちゃ ＿＿＿＿＿＿＿＿

(2) кни́га　本 ＿＿＿＿＿＿＿＿

(3) вра́ч　医師 ＿＿＿＿＿＿＿＿

(4) ба́бушка　おばあちゃん ＿＿＿＿＿＿＿＿

4 日本語訳に合うように、(　　)内にロシア語を入れましょう。

(1) (　　　　　) кни́га　私の本

(2) (　　　　　) письмо́　私の手紙

(3) (　　　　　) шокола́д　君のチョコレート

(4) (　　　　　) и́мя　君の名前

(5) (　　　　　) зада́ние　私たちの課題

(6) (　　　　　) тёти　私たちのおばさんたち

(7) (　　　　　) уче́бники　君たちの教科書

(8) (　　　　　) де́душка　君たちのおじいちゃん

解答は196~197ページ

第5課

形容詞の変化（1）

До́брый де́нь!

こんにちは！

これを学ぼう！

□ **形容詞は修飾する名詞の性・数に合わせて変化する。**

□ **形容詞の変化にはいくつかパターンがある。まずは硬変化を覚えよう。**

これができる！

□ **形容詞を使って人や物の様子を説明できるようになる。**

□ **簡単なあいさつが言えるようになる。**

これから学ぶこと

- **形容詞**は、修飾する名詞の性・数によって形が変化します。変化パターンはいくつかありますが、ここではまず**硬変化**と呼ばれるものを学びます。→ ❶
- 形容詞は述語になることもできます。その場合、主語になる名詞の性・数によって変化します。→ ❶
- 硬変化形容詞の中には、「正書法の規則」が適用されるものもあり、語尾のつづりの一部が硬変化の基本パターンとは異なります。→ ❶
- 基本的なあいさつの表現を学びます。→ ❷

実際の会話例を見てみましょう

音楽を聴く

A-36

A **До́брый де́нь!** Что́ вы́ де́лаете?
ドーブるィ　チェーニ　シュトー　ヴィー　チェーライチェ

B Я́ слу́шаю ру́сский ро́к.
ヤー　スルーシャユ　るースキー　ろーク

A Кто́ ва́ш люби́мый музыка́нт?
クトー　ヴァーシュ　リュビームィ　ムズィカーント

B Леони́д Фёдоров!
リアニート　フョーダらフ

A：こんにちは！　何をしているのですか？

B：ロシアン・ロックを聴いているんです。

A：あなたのお好きなミュージシャンは誰ですか？

B：レオニード・フョードロフ*です！

＊レオニード・フョードロフ（Леони́д Фёдоров, 1963-）：ペテルブルク出身のミュージシャン。ロック・グループ「アウクツィオン」«АукцЫо́н»のリーダー。

この課で覚えたい語句

□ америка́нский アメリカの　□ ве́чер 夕方、夜
□ де́нь 日、昼 男　□ До свида́ния! さようなら！　□ до́брый 良い、善良な、親切な
□ краси́вый 美しい　□ люби́мый 好きな　□ маши́на 車
□ музыка́нт ミュージシャン　□ но́вый 新しい　□ Пока́! じゃあね！
□ Приве́т! やあ！　□ ро́к ロック　□ ру́сский ロシアの
□ слу́шать 聴く①　□ уже́ もう　□ у́тро 朝　□ япо́нский 日本の

この課のポイント

1 形容詞の変化(1) 硬変化

A-37

「私の」などの所有代名詞と同じように、形容詞も修飾する名詞の性・数によって形が変わります。変化パターンは大きく2種類に分かれます。

①硬変化　②軟変化

ここでは最も多く出てくる「硬変化」を覚えましょう。

「美しい」			
男性形	中性形	女性形	複数形
краси́вый	краси́вое	краси́вая	краси́вые

Э́то ста́р**ый** фо̀тоальбо́м / ста́р**ое** письмо́ /
エータ　スターるィ　フォタアリボーム　スターらエ　ピシモー

ста́р**ая** кни́га / ста́р**ые** учё́бники.
スターらヤ　クニーガ　スターるィエ　ウチェーブニキ

これは古いアルバム／古い手紙／古い本／古い教科書（複数）です。

Э́то мо́й люби́м**ый** шокола́д / моё люби́м**ое** вино́ /
エータ　モーイ　リュビームィ　シャカラート　マヨー　リュビーマエ　ヴィノー

моя́ люби́м**ая** игру́шка / мои́ люби́м**ые** музыка́нты.
マヤー　リュビーマヤ　イグるーシュカ　マイー　リュビームィエ　ムズィカーントゥイ

これは私の好きなチョコレート／私の好きなワイン／私の好きなおもちゃ／私の好きなミュージシャン（複数）です。

形容詞は名詞を修飾するだけではなく、述語になることもあります。その場合は、主語の性・数に合わせて語尾の形が変わります。

① Моя́ ба́бушка до́бр**ая**.　私のおばあちゃんは親切です。
マヤー　バーブシュカ　ドーブらヤ

② Мо́й де́душка до́бр**ый**.　私のおじいちゃんは親切です。
モーイ　ヂェードゥシュカ　ドーブるィ

①の例文では主語が「おばあちゃん」なので、述語の形容詞が女性形**до́брая**、②の例文では主語が「おじいちゃん」なので、述語の形容詞は男性形の**до́брый**になります。

◆ 形容詞変化のバリエーション（1） 硬変化＋正書法の規則

形容詞を変化させるとき、「正書法の規則」（➡p. 203）が関わることもあります。

- **г, к, х, ж, ч, ш, щ**の直後に**ы**をつづることはできず、代わりに**и**をつづる。
- 形容詞の語幹（変化しない部分）の末尾の文字が**г, к, х, ж, ч, ш, щ**の場合、男性形と複数形が基本のパターンとは異なる。

たとえば**ру́сский**（ロシアの）という形容詞は本来は硬変化ですが、語幹末尾がкのため、**ру́сскый**や**ру́сскые**ではなく、**ру́сский**、**ру́сские**となります。

「ロシアの」			
男性形	中性形	女性形	複数形
ру́сский	ру́сское	ру́сская	ру́сские

Э́то япо́нский музе́й / япо́нское вино́ /
エータ イポーンスキー ムジェーイ イポーンスカエ ヴィノー

япо́нская газе́та / япо́нские студе́нты.
イポーンスカヤ ガジェータ イポーンスキエ ストゥヂェーントゥイ

これは日本の美術館／日本のワイン／日本の新聞／日本の学生たちです。

2 あいさつ

A-38

基本的なあいさつの表現を覚えましょう。

Здра́вствуйте! こんにちは！
ズドらーストヴイチェ

一日中どの時間帯でも使えるあいさつです。これはвы́に対して言うときの形で、相手がты́の場合は«**Здра́вствуй!**»になります。

🔈 До́брое у́тро!　おはよう！（直訳すると「良い朝」）
ドーブらエ　**ウー**トら

🔈 До́брый де́нь!　こんにちは！（直訳すると「良い昼」）
ドーブるィ　**ヂェー**ニ

🔈 До́брый ве́чер!　こんばんは！（直訳すると「良い夜」）
ドーブるィ　**ヴィエー**チる

上の3つは使う時間帯が限られます。形容詞до́брыйが、修飾する名詞の性別に合わせて変化しているのにも注目！

🔈 До свида́ния!　さようなら！
ダスヴィ**ダー**ニヤ

доは「〜まで」、свида́нияは「会うこと」。直訳すると「また会うときまで」という意味になります。

🔈 Приве́т!　やあ！
プり**ヴィエー**ト

🔈 Пока!　じゃあね！
パ**カー**

上の2つはいずれも親しい相手に対して使う表現です。

あいさつは人と交流するときの基本。恥ずかしがらずに積極的に声をかけて、コミュニケーションを楽しみましょう！

Перерыв ちょっと休憩

この課ではロシアのロック・ミュージシャンの名前が出てきています。え、ロシアにロックなんてあるの!?と思った人もいるかも？　チャイコフスキー、ラフマニノフなどクラシック音楽の国というイメージの強いロシアですが、もちろんロックもポップスもパンクもHip Hopも、何でもあります。今は動画サイトなどでもいろいろ聴けるので、ぜひお気に入りのミュージシャンを見つけてみてください！

チャレンジ！ 実践会話

A-39

音楽について話しています。

Са́ша : **До́брое у́тро**, Ната́ша!
Что́ ты́ слу́шаешь?

Ната́ша : «Кино́». Зна́ешь?

Са́ша : Да́, коне́чно!
Легенда́рная ро̀к-гру́ппа!

Ната́ша : Ви́ктор Цо́й – мо́й са́мый люби́мый музыка́нт. А ты́ что́ чита́ешь, Са́ша?

Са́ша : **Япо́нский ко́микс.** Я́ отаку!

サーシャ：**おはよう**、ナターシャ！
何を聴いてるの？

ナターシャ：〈キノー〉だよ。知ってる？

サーシャ：うん、もちろん！
伝説的なロック・グループだよね！

ナターシャ：ヴィクトル・ツォイは私のいちばん好きなミュージシャンなの。
サーシャは何を読んでるの？

サーシャ：**日本のマンガだよ。**僕はオタクなんだ！

語注

«Кино́» 〈キノー〉(ソ連時代の有名なロックバンド。ボーカルのヴィクトル・ツォイは1990年に28歳で交通事故死。グループ名のКино́は「映画」の意味)　ко́микс マンガ

коне́чно もちろん（※чはшの発音になり、「カニェーシュナ」と読みます。）

легенда́рный 伝説的な　отаку オタク〔不変化〕（※日本語が元になってできた単語。外来語なので例外的に、アクセントのないoも「ア」ではなく「オ」と発音します。）

ро̀к-гру́ппа ロック・グループ　са́мый 最も、いちばんの

練習問題に挑戦しよう

1 次の形容詞を適切な形に変えて（　　）内に入れましょう。

⑴ но́вый　新しい

на́ш（　　　　）уче́бник　私たちの新しい教科書

на́ше（　　　　）зада́ние　私たちの新しい課題

на́ша（　　　　）маши́на　私たちの新しい車

на́ши（　　　　）игру́шки　私たちの新しいおもちゃ（複数）

⑵ до́брый　良い、善良な、親切な

тво́й（　　　　）дя́дя　君の親切なおじさん

твоё（　　　　）сло́во　君の親切な言葉

твоя́（　　　　）тётя　君の親切なおばさん

твои́（　　　　）де́душка и ба́бушка

君の親切なおじいちゃんとおばあちゃん

2 次の［　　］内の形容詞を適切な形に変えましょう。　※正書法の規則が適用されます。

⑴（　　　　）писа́тели［америка́нский］　アメリカの作家たち

⑵（　　　　）мо́ре［Япо́нский］　日本海

⑶（　　　　）во́дка［ру́сский］　ロシアのウォッカ

⑷（　　　　）журна́л［ру́сский］　ロシアの雑誌

3 日本語訳に合うように、下の単語から適切な形容詞を選んで、正しい形にして（　）内に入れましょう。

(1) 私の車は新しいです。

Моя́ маши́на (　　　　　　).

(2) 私の辞書はもう古いです。

Мои́ словари́ уже́ (　　　　　　).

(3) これは私たちのおばさんです。彼女は美しいです。

Э́то на́ша тётя. Она́ (　　　　　　).

(4) あなたのおじさんは親切ですね。

Ва́ш дя́дя (　　　　　　).

参考の単語

до́брый　краси́вый　но́вый　ста́рый

4 朗読音声を聴いてロシア語で書き取り、それを日本語に訳してみましょう。 A-40

(1) ＿＿＿＿＿＿＿＿＿＿

(2) ＿＿＿＿＿＿＿＿＿＿

(3) ＿＿＿＿＿＿＿＿＿＿

(4) ＿＿＿＿＿＿＿＿＿＿

解答は197ページ

第6課

形容詞の変化(2)、動詞の変化(2)

Где́ Большо́й теа́тр?

ボリショイ劇場はどこですか？

これを学ぼう！

□ 硬変化形容詞のうち、語尾にアクセントがあるタイプは男性形が基本パターンとは異なる。

□ 動詞の第2変化を学ぼう。

これができる！

□ 「どんな〜ですか?」と聞けるようになる。

□ 「〜語を話す」という表現が使えるようになる。

これから学ぶこと

- 第5課で学んだ硬変化形容詞の中には、**語尾にアクセントがある**ものもあります。男性形が基本パターンとは異なりますが、あとは基本パターンと同じです。→❶
- 硬変化形容詞（語尾アクセント型）にも、「正書法の規則」が適用されることがあります。→❶
- 動詞の**第2変化**は、不定形の**-ть**と、その直前の母音を取り去ってから変化語尾を加えます。動詞によっては変化するときにアクセントが移動する場合もあります。→❷

実際の会話例を見てみましょう

場所を尋ねる

A-41

A Извини́те, **где́ Большо́й теа́тр?**
イズヴィ**ニー**チェ　グ**ヂェー**　バリ**ショー**イ　チ**アー**トる

B Во́н та́м.
ヴォーン　**ター**ム

A Большо́е спаси́бо!
バリ**ショー**エ　スパ**シー**バ

B Пожа́луйста. А вы́ тури́ст?
パ**ジャー**ルスタ　ア　**ヴィー**　トゥ**リー**スト

Вы́ говори́те по-ру́сски о́чень хорошо́!
ヴィー　ガヴァ**リー**チェ　パ**るー**スキ　**オー**チニ　はら**ショー**

A：すみません、**ボリショイ劇場はどこですか?**

B：あそこです。

A：どうもありがとうございます(直訳：大きなありがとう)！

B：どういたしまして。観光客ですか?　**ロシア語がとてもお上手ですね!**

この課で覚えたい語句

□ бале́т バレエ　□ большо́й 大きい　□ Большо́й теа́тр ボリショイ劇場
□ говори́ть 話す②　□ голубо́й 水色の　□ до́м 家
□ како́й どのような　□ молодо́й 若い　□ о́чень とても
□ плохо́й 悪い　□ по-англи́йски 英語で　□ пого́да 天気
□ пожа́луйста どういたしまして、どうぞ　□ по-испа́нски スペイン語で
□ по-кита́йски 中国語で　□ по-коре́йски 韓国語・朝鮮語で
□ по-ру́сски ロシア語で　□ по-япо́нски 日本語で
□ смотре́ть 見る②　□ стоя́ть 立っている②　□ стро́ить 建てる②
□ тала́нтливый 才能のある　□ теа́тр 劇場
□ фигури́стка 女子フィギュアスケート選手　□ хорошо́ 上手に、よく

1 形容詞の変化(2) 硬変化(語尾アクセント型)

A-42

硬変化形容詞のうち、語尾にアクセントがあるタイプのものは、男性形が基本パターンとは異なります。基本パターンでは**-ый**となるところが、語尾アクセント型は**-óй**となります。

「若い」			
男性形	中性形	女性形	複数形
молодóй	молодóе	молодáя	молоды́е

◆ 形容詞変化のバリエーション(2)

硬変化（語尾アクセント型）＋正書法の規則のパターンです。このタイプの形容詞も正書法の規則が適用されることがあります。複数形のところが上の**молодóй**の例と違っていることに注意！

「大きい」			
男性形	中性形	女性形	複数形
большóй	большóе	большáя	больши́е

疑問詞**какóй**（どのような）もこのパターンで変化します。

［男性］**какóй**　［中性］**какóе**　［女性］**какáя**　［複数］**каки́е**

– **Какóй** óн фигури́ст?
カコーイ　オーン　フィグリースト

「彼はどういうフィギュアスケート選手なの？」

– **Молодóй** и талáнтливый фигури́ст.
マラドーイ　イ　タラーントリヴイ　フィグリースト

「若くて才能あるフィギュアスケート選手だよ」

– **Кака́я** сего́дня пого́да? 「今日はどんな天気ですか？」
カ**カー**ヤ シ**ヴォー**ドニャ パ**ゴー**ダ

– Сего́дня **плоха́я** пого́да. 「今日は悪い天気です」
シ**ヴォー**ドニャ プラ**はー**ヤ パ**ゴー**ダ

плоха́яは**плохо́й**（悪い）の女性形で、女性名詞**пого́да**（天気）にかかっています。

2 動詞の変化(2) 第2変化

A-43

第3課で学んだ第1変化に続いて、ここでは第2変化と呼ばれるタイプを学びましょう。

			語尾の形	例	
不定形			-ить / -еть -ять / -ать	говори́ть 話す	смотре́ть 見る
単数	1人称	я́	-ю	говорю́	смотрю́
	2人称	ты́	-ишь	говори́шь	смо́тришь
	3人称	о́н	-ит	говори́т	смо́трит
複数	1人称	мы́	-им	говори́м	смо́трим
	2人称	вы́	-ите	говори́те	смо́трите
	3人称	они́	-ят	говоря́т	смо́трят

◆ 第1変化と第2変化の違い

- 第1変化：不定形の**-ть**を取り除いて変化語尾をつける。
アクセントが移動することは原則としてない。
- 第2変化：不定形の**-ть**のひとつ前の母音も取り除いて変化語尾をつける。
アクセントが移動することもある（例：**смотре́ть**）。

第2変化動詞でアクセントが移動する場合、上の表で言えば、2人称単数の**ты́**の変化形から移り、あとは3人称複数まで移動したままです。

– Что́ вы́ **смо́трите**? 「何をご覧になっているのですか？」
シュトー ヴィー スモートりチェ

– Я́ **смотрю́** бале́т. 「私はバレエを見ているんです」
ヤー スマトりュー バりェート

Студе́нты **говоря́т** по-ру́сски.
ストゥヂェーントゥイ ガヴァりャート パるースキ

学生たちはロシア語を話します。

Мо́й дя́дя **говори́т** по-япо́нски хорошо́.
モーイ ヂャーヂャ ガヴァりート パイポーンスキ はらショー

私のおじさんは日本語を上手に話します。

◆「…語を話す」

上の例文の **по-ру́сски** は「ロシア語で」、**по-япо́нски** は「日本語で」という意味の副詞。

「…語を話す」は、**говори́ть по-...ски**（直訳すると「…語で話す」）と言います。

「…語で」という言い方をついでにいくつか覚えてしまいましょう。

по-англи́йски 英語で
パアングりースキ

по-испа́нски スペイン語で
パイスパーンスキ

по-кита́йски 中国語で
パキターイスキ

по-коре́йски 韓国語・朝鮮語で
パカりェーイスキ

チャレンジ! 実践会話

A-44

スマホで動画を見ています。

Са́ша : Ле́на, **что́ ты́ смо́тришь?** Бале́т?

Ле́на : Да́, **Большо́й теа́тр.**

Са́ша : Како́й специа́кль?

Ле́на : «Лебеди́ное о́зеро».
Ту́т выступа́ст мо́й люби́мый танцо́вщик!
О́н ещё молодо́й, но́ о́чень тала́нтливый.
Дава́й смотре́ть вме́сте!

サーシャ : レーナ、**何を見てるの?** バレエ?
レーナ : うん、**ボリショイ劇場だよ。**
サーシャ : どういう演目?
レーナ : 「白鳥の湖」。
私の好きなダンサーが出演してるの!
まだ若いけど、すごく才能があるんだ。
一緒に見ようよ!

語注

вме́сте 一緒に　выступа́ть 出演する①　дава́й ～しよう(勧誘)
ещё まだ　лебеди́ный 白鳥の　но́ しかし　о́зеро 湖
спекта́кль 芝居、劇、バレエ・オペラなどの演目男　танцо́вщик ダンサー
ту́т そこに

1 次の形容詞を適切な形に変えて（　　）内に入れましょう。

(1) молодо́й　若い

（　　　　　）фигури́ст　若い男子フィギュアスケート選手

（　　　　　）вино́　若いワイン

（　　　　　）фигури́стка　若い女子フィギュアスケート選手

（　　　　　）тури́сты　若い観光客たち

(2) голубо́й　水色の

（　　　　　）до́м　水色の家

（　　　　　）о́зеро　水色の湖

（　　　　　）тетра́дь　水色のノート

（　　　　　）тетра́ди　水色のノート（複数）

2 次の［　　］内の形容詞や疑問詞を適切な形に変えましょう。

※正書法の規則が適用されます。

(1)（　　　　　）до́м　大きい家　［большо́й］

(2)（　　　　　）маши́на　大きい車　［большо́й］

(3)（　　　　　）сло́во　悪い単語　［плохо́й］

(4)（　　　　　）слова́　悪い単語（複数）　［плохо́й］

(5) (　　　　　　) кни́га　どんな本 [како́й]

(6) (　　　　　　) кни́ги　どんな本(複数) [како́й]

3 次の動詞を人称変化させましょう(いずれも第2変化の動詞です)。

(1) стро́ить 建てる

я́ ______　ты́ ______　о́н ______

мы ______　вы ______　они́ ______

(2) стоя́ть 立っている

я́ ______　ты́ ______　о́н ______

мы́ ______　вы́ ______　они́ ______

4 [　　]内の動詞を適切な形に変えましょう。

(1) Вы́ (　　　　　　) по-ру́сски? [говори́ть]

あなたはロシア語を話しますか?

(2) Я́ (　　　　　　) по-япо́нски и по-кита́йски.

[говори́ть]

私は日本語と中国語を話します。

(3) Сейча́с мы́ (　　　　　　) бале́т. [смотре́ть]

今、私たちはバレエを見ています。

(4) Что́ (　　　　　　) тури́сты? [смотре́ть]

観光客たちは何を見ているのですか?

解答は197ページ

第7課

形容詞の変化(3)、動詞の過去形

Что́ ты́ купи́л?

何を買ったの？

これを学ぼう！

□ 軟変化形容詞の語尾は［男性］**-ий**、［中性］**-ее**、［女性］**-яя**、［複数］**-ие**となる。

□ 動詞の過去形は主語の性・数に合わせて変化する。

これができる！

□ 「良い」「熱い」など、軟変化の基本的な形容詞を使えるようになる。

□ 過去に起きた事柄について言えるようになる。

これから学ぶこと

- 形容詞の基本2タイプのうち、**軟変化**と呼ばれるものを学びます。硬変化と違って、語尾の1文字目がすべて軟母音（**-ий, -ее, -яя, -ие**）です。→ ❶
- 軟変化形容詞にも、「正書法の規則」が適用されることがあります。→ ❶
- **動詞の過去形**は、不定形の**-ть**を取り去ってから変化語尾を加えます。第1変化の動詞も第2変化の動詞も過去形では区別はなく、同じ作り方をします。→ ❷
- 名詞の複数形を作るとき、最終母音が脱落する現象（**出没母音**）が起きることがあります。→ ❸

実際の会話例を見てみましょう

ランチタイム

A-45

A **Что́ ты́ купи́л?**
シュ**トー** **トゥイー** ク**ピー**ル

B Пирожки́ и ко́фе. А ты́?
ピらシュ**キー** イ **コー**フェ ア **トウイー**

A Све́жий сала́т и горя́чий ча́й.
ス**ヴィエー**ジー サ**ラー**ト イ ガ**りャー**チー **チャー**イ

B То́лько сала́т и ча́й!?
トーリカ サ**ラー**ト イ **チャー**イ

Ты́ не голо́дная?
トゥイー ニガ**ロー**ドナヤ

A：何を買ったの?

B：ピロシキとコーヒー。君は?

A：フレッシュサラダとホットティーよ。

B：サラダとお茶だけ!? おなかすいてないの?

この課で覚えたい語句

- ☐ вчера́ 昨日
- ☐ голо́дный 空腹の
- ☐ горя́чий 熱い
- ☐ икра́ 魚の卵
- ☐ кафе́ カフェ〔不変化〕
- ☐ кра́сный 赤い
- ☐ купи́ть 買う②
- ☐ лёд 氷
- ☐ мно́го たくさん
- ☐ молоко́ 牛乳
- ☐ напи́ток 飲み物
- ☐ пирожо́к ピロシキ(複数形はпирожки́)
- ☐ пи́цца ピザ
- ☐ пла́тье ワンピース
- ☐ сала́т サラダ
- ☐ све́жий 新鮮な
- ☐ си́ний 青い
- ☐ су́п スープ
- ☐ то́лько ～だけ、ただし
- ☐ хоро́ший 良い
- ☐ чёрный 黒い

1 形容詞の変化(3) 軟変化

A-46

形容詞には、これまで学んだ硬変化の他に、「軟変化」と呼ばれるタイプもあります。

「青い」			
男性形	中性形	女性形	複数形
си́ний	си́нее	си́няя	си́ние

Где́ моё **си́нее** пла́тье?
グヂェー マヨー シーニエ プラーチエ

私の青いワンピースはどこ？

Та́м стоя́т **си́ние** маши́ны.
ターム スタヤート シーニエ マシーヌィ

あそこに青い車（複数）が停まっています。

◆ 形容詞変化のバリエーション(3)

軟変化＋正書法の規則のパターンです。
軟変化タイプの形容詞も、正書法の規則が適用されることがあります。

- **г, к, х, ж, ч, ш, щ** の直後に **я** をつづることはできず、代わりに **а** をつづる。
- 形容詞の語幹末尾の文字が **г, к, х, ж, ч, ш, щ** の場合、女性形が基本パターンとは異なる。

「良い」			
男性形	中性形	女性形	複数形
хоро́ший	хоро́шее	хоро́шая	хоро́шие

Сего́дня **хоро́шая** пого́да. 今日はいい天気です。
シヴォードニャ はろーシャヤ パゴーダ

Та́м **хоро́шее** кафе́. あそこにいいカフェがあります。
ターム はろーシエ カフェー

会話例に出てきた**горя́чий**（熱い）と**све́жий**（新鮮な）もこのタイプです。

2 動詞の過去形

A-47

動詞の過去形は、主語の性・数に合わせて語尾の形が変わります。

不定形	купи́ть 買う
男性形	купи́л
女性形	купи́ла
中性形	купи́ло
複数形	купи́ли

- 不定形の語尾**-ть**を取り去って、男性形は**-л**、女性形は**-ла**、中性形は**-ло**、複数形は**-ли**をつけます。
- 第1変化の動詞も第2変化の動詞も過去形では区別はなくなり、同じ作り方をします。
- 主語が**вы́**のときは、「あなた」の意味で一人を指す場合でも過去形は複数形になります。

Что́ вы́ **де́лали** вчера́? 昨日あなた(たち)は何をしましたか？
シュトー ヴィー ヂェーラリ フチらー

Вчера́ о́н **смотре́л** бале́т. 昨日彼はバレエを見ました。
フチらー オーン スマトリェール バリェート

Она́ **рабо́тала** мно́го. 彼女はたくさん働きました。
アナー らボータラ ムノーガ

出没母音

🔊 A-48

名詞が複数形に変化する際、末尾の子音の直前の母音**о, е, ё**が脱落することがあります。この現象を「出没母音」と呼びます。

🔊【単数】		【複数】	
пирожо́к	➡	**пирожки́**	ピロシキ
напи́ток	➡	**напи́тки**	飲み物
де́нь	➡	**дни́**	日、昼
лёд	➡	**льды́**	氷

- どういう場合に出没母音が起きるかには、明確なルールはありません。
- 単に母音が脱落するだけではなく、**лёд** → **льды́**のように「**ь**」が現れるものもあります。

なお、「出没母音」という名称からもわかるように、母音が「没する」(＝脱落する) だけではなく、母音が「出現する」現象もあります。詳しくは第20課❶で学びますのでお楽しみに！

Перерыв ちょっと休憩

みなさんおなじみの「ピロシキ」は、実は**пирожо́к**の複数形**пирожки́**が日本語に入ってきた外来語。元の**пирожки́**が複数形なので、日本語では1個でも「ピロシキ」と言うのは、ロシア語がわかる人にはちょっと不思議かもしれませんね。他にもロシア語が元になって日本語になった単語としては、「イクラ(**икра́**)」「ノルマ(**но́рма**)」などがあります。ただしロシア語の**икра́**は「魚の卵」という意味で、日本語では「サケの卵」を指す「イクラ」はロシア語では**кра́сная икра́**(赤い魚卵)、「キャビア(チョウザメの卵)」は**чёрная икра́**(黒いイクラ)と言います。

チャレンジ! 実践会話

🔈 A-49

ランチタイム、街角で。

Продавщи́ца : **Горя́чие пирожки́! Све́жие сэ́ндвичи!**

А́нна : О́й, я́ голо́дная.
А ты́? Дава́й переку́сим вме́сте!

Никола́й : Хорошо́! (アンナが売り子から何か買って戻って来る)
Что́ ты́ купи́ла?

А́нна : Горя́чие пирожки́ и све́жее пи́во.
Алкого́ль – э́то си́ла.
Дава́й пи́ть вме́сте!

売り子：**熱々のピロシキ！ フレッシュなサンドイッチ（はいかがですか）！**

アンナ：あー、おなかすいた。
ニコライは? 一緒に食べようよ!

ニコライ：いいよ!（アンナが売り子から何か買って戻って来る）
何買ったの?

アンナ：熱々のピロシキにフレッシュなビールよ。
アルコールは元気の素だもん。
一緒に飲もうよ!

語注

алкого́ль アルコール 男　перекуси́ть ちょっと食べる、軽くつまむ②
пи́во ビール　пи́ть 飲む〔不規則〕　продавщи́ца 女性の売り子
си́ла 力　сэ́ндвич サンドイッチ　хорошо́ いいよ

練習問題に挑戦しよう

1 次の形容詞を適切な形に変えて(　)内に入れましょう。

(1) дома́шний　家の、自家製の

(　　　　　　) сэ́ндвич　自家製サンドイッチ
(　　　　　　) зада́ние　宿題(直訳:家の課題)
(　　　　　　) пи́цца　自家製ピザ
(　　　　　　) пирожки́　自家製ピロシキ

(2) горя́чий　熱い

(　　　　　　) су́п　熱いスープ
(　　　　　　) молоко́　ホットミルク
(　　　　　　) вода́　お湯(直訳:熱い水)
(　　　　　　) напи́тки　熱い飲み物(複数)

2 下の単語を参考にしながら、次の表現をロシア語で書いてみましょう。

※形容詞は適切な形に変化させること。

(1) 良い天気　＿＿＿＿＿＿＿＿

(2) 青いワンピース　＿＿＿＿＿＿＿＿

(3) 新鮮な牛乳　＿＿＿＿＿＿＿＿

(4) 良い日　＿＿＿＿＿＿＿＿

(5) 青い教科書　＿＿＿＿＿＿＿＿

参考の単語

де́нь　молоко́　пла́тье　пого́да　све́жий
си́ний　уче́бник　хоро́ший

3 次の動詞を過去形にしましょう。

※男性形、女性形、中性形、複数形の順に書いてください。

(1) слу́шать 聴く

(2) за́втракать 朝食を取る

(3) стро́ить 建てる

(4) стоя́ть 立っている

4 次の下線部の動詞を過去形に変えた文を書きましょう。

(1) На́ши де́душка и ба́бушка хорошо́ говоря́т по-англи́йски.
うちのおじいちゃんとおばあちゃんは英語を上手に話します。

(2) Что́ смо́трят журнали́сты?
ジャーナリストたちは何を見ているのですか?

解答は197~198ページ

第8課

格変化と対格

Я́ изуча́ю ру́сскую исто́рию.

私はロシア史を勉強しています。

これを学ぼう！

- □ **ロシア語には6つの格がある。**
- □ **名詞や形容詞は格に合わせて語尾が変化する。**

これができる！

- □ **対格（直接目的語）を用いた「〜を…する」という構文を使えるようになる。**
- □ **動詞 люби́ть を使って、好きなものについて言えるようになる。**

❋これから学ぶこと

- ロシア語の名詞は**格**（主語や目的語といった、文の中で果たす役割）によって語尾が変化します。→ ❶
- ロシア語には6つの格（**主格、生格、与格、対格、造格、前置格**）があります。→ ❶
- **対格**は直接目的語（〜を）を表します。→ ❷
- 男性名詞・中性名詞・複数名詞と、**-ь**で終わる女性名詞は基本的に主格と対格が同じ形をしています。→ ❷
- **-а, -я**で終わる女性名詞は、対格ではそれぞれ**-у, -ю**になります。→ ❷
- 形容詞も、修飾する名詞の格に合わせて変化します。女性形対格の語尾は**-ую**か**-юю**です。→ ❸

実際の会話例を見てみましょう

学生同士の会話

A-50

A **Я́ изуча́ю ру́сскую исто́рию.** А вы́?
ヤー イズチャーユ るースクユ イストーリユ ア ヴィー

B Я́ изуча́ю япо́нский язы́к.
ヤー イズチャーユ イポーンスキー イズィーク

A Интере́сно. Почему́?
インチリェースナ パチムー

B Потому́ что я́ люблю́ япо́нскую
パタムーシュタ ヤー リュブリュー イポーンスクユ

культу́ру!
クリトゥーる

A：私はロシア史を勉強しています。あなたは?

B：私は日本語を勉強しています。

A：おもしろいですね。どうしてですか?

B：日本文化が好きだからです!

この課で覚えたい語句

□ да́ча 別荘　□ звони́ть 電話する②　□ зда́ние 建物

□ изуча́ть 勉強する①　□ исто́рия 歴史　□ культу́ра 文化

□ люби́ть 愛する、好む②　□ магази́н 店　□ му́зыка 音楽

□ неде́ля 週　□ о ～について

□ потому́ что なぜなら（чтоにアクセントはなく、ひと続きの単語のように発音します。）

□ почему́ どうして　□ язы́к 言語

この課のポイント

1 格変化

A-51

ロシア語の名詞は「格」(「主語」や「目的語」など、文の中で名詞が果たす役割のこと)によって変化します。これを「格変化」と呼びます。

ロシア語には6つの格があります。主な用法は以下のとおりです。

主格	主語を表す(〜が)
生格	所有・所属を表す(〜の)
与格	間接目的語を表す(〜に)
対格	直接目的語を表す(〜を)
造格	道具・手段を表す(〜によって)
前置格	格自体に意味はない。必ず前置詞と一緒に用いられる。

ロシア語の名詞はこれら6つの格に合わせて語尾が変化します。

変化のしかたは、名詞の性や語尾によってパターンが決まっています。たとえば女性名 **Мари́на** なら以下のようになります。

主格	Мари́на	マリーナが	**対格**	Мари́ну	マリーナを
生格	Мари́ны	マリーナの	**造格**	Мари́ной	マリーナによって
与格	Мари́не	マリーナに	**前置格**	о Мари́не	マリーナについて*

＊前置詞 **о** は「〜について」という意味。

Ни́на зна́ет Мари́ну. ニーナが(主格)マリーナを(対格)知っている。
ニーナ　ズナーイト　マリーヌ

Ни́на звони́т Мари́не. ニーナが(主格)マリーナに(与格)電話する。
ニーナ　ズヴァニート　マリーニェ

◆ 語順について

ロシア語では語順が比較的自由なので(➡第3課❷)、必ずしも主語が最初に来るとは限りません。

Мари́ну зна́ет Ни́на. マリーナを(対格)ニーナが(主格)知っている。
マリーヌ ズナーイト ニーナ

2 名詞の対格

A-52

左ページの例は単数形だけですが、複数形もそれぞれ形が違うので、単数と複数を合わせると一つの単語がなんと12種類(!)の形を持ちます。全部いっぺんに覚えるのは大変ですが、一つずつゆっくり学べば大丈夫。まずは対格を覚えましょう。

- 対格は直接目的語(〜を)を表します。
- 多くの場合、対格は主格と同じ形をしています。
- 形が変わるのは **-а** と **-я** で終わる女性名詞(下の表の太い赤枠で囲った部分)です。

女性名詞				
語末		**-а**	**-я**	**-ь**
単数	主格	газе́та 新聞	неде́ля 週	тетра́дь ノート
	対格	газе́ту	неде́лю	тетра́дь

- 疑問詞 **что́** も格変化しますが、対格は主格と同じ **что́** という形です。
- **-а** と **-я** で終わる男性名詞も、女性名詞と同様に対格の形が変わります。

例 **па́па** ➡ **па́пу** お父さんを　　**дя́дя** ➡ **дя́дю** おじさんを

– **Что́** они́ стро́ят? 「彼らは何を建てているのですか?」
シュトー アニー ストローイト

– Они́ стро́ят **магази́н** / **зда́ние** / **да́чу**.
アニー ストローイト マガジーン ズダーニエ ダーチュ

「彼らは店を/建物を/別荘を建てています」

男性名詞 **магази́н** (店) と中性名詞 **зда́ние** (建物) は主格も対格も形が同じですが、女性名詞 **да́ча** (別荘) は対格では **да́чу** になります。

複数形だと、どれも対格は主格と同じ形です。

🔈 Они́ стро́ят **магази́ны / зда́ния / да́чи**.
アニー　ストろーイト　マガジーヌィ　ズダーニヤ　ダーチ

彼らは（複数の）店を／建物を／別荘を建てています。

3 形容詞の対格

🔈 A-53

形容詞も、修飾する名詞の格に合わせて格変化します。男性・中性・複数形は対格でも基本的に主格（これまで習ってきた形）と同じですが、女性形は以下のようになります。

	硬変化	硬変化（語尾アクセント型）	軟変化
女性主格	краси́вая 美しい	молода́я 若い	си́няя 青い
女性対格	краси́вую	молоду́ю	си́нюю

🔈 **Каку́ю му́зыку** вы́ лю́бите?
カクーユ　ムーズィク　ヴィー　リュービチェ

どういう音楽がお好きですか？（> кака́я му́зыка）

🔈 Я́ люблю́ **дома́шнюю пи́ццу**.
ヤー　リュブリュー　ダマーシュニュユ　ピーッツ

私は自家製ピザが好きです。（> дома́шняя пи́цца）

◆ **動詞 люби́ть**

上の例に出てきた動詞**люби́ть**（愛する、好む）は、第2変化のバリエーションタイプで、1人称単数に-л-が入るのが基本形と異なります。アクセントも移動するので注意しましょう。

🔈 я́ **люблю́**, ты́ **лю́бишь**, он **лю́бит**,
мы́ **лю́бим**, вы́ **лю́бите**, они́ **лю́бят**

チャレンジ! 実践会話

A-54

大学にて。ロシア人学生と日本人留学生の会話です。

Та́ня : Ко́та, **почему́ ты́ изуча́ешь ру́сский язы́к?**

Ко́та : Потому́ что я́ люблю́ ру́сский бале́т.
Обожа́ю Светла́ну Заха́рову!
А ты́, Та́ня?
Почему́ ты́ изуча́ешь эконо́мику?

Та́ня : Потому́ что люблю́ де́ньги!

ターニャ : コウタは**どうしてロシア語を勉強してるの?**

コウタ : ロシア・バレエが好きだからだよ。
僕はスヴェトラーナ・ザハーロワの大ファンなんだ!
ターニャは?
どうして経済学を勉強してるの?

ターニャ : お金が好きだからよ!

語注

де́ньги お金(複数形のみの名詞)　обожа́ть 崇拝する、大好きだ①

Светла́на Заха́рова スヴェトラーナ・ザハーロワ(1979-、ボリショイ劇場に所属する世界的に人気の高いロシアのバレエ・ダンサー)

эконо́мика 経済学

1 次の[　　]内の名詞を対格にしましょう。

※形が変わらないものもあります。

(1) Сейча́с я́ чита́ю (　　　　　　). [газе́та]

今、私は新聞を読んでいます。

(2) О́н купи́л (　　　　　　). [слова́рь]

彼は辞書を買いました。

(3) Мы́ изуча́ем (　　　　　　). [исто́рия]

私たちは歴史を勉強しています。

(4) Моя́ ба́бушка купи́ла (　　　　　　). [вино́]

私のおばあちゃんはワインを買いました。

(5) Они́ стро́ят (　　　　　　). [теа́тры]

彼らは(複数の)劇場を建てています。

(6) Мы́ купи́ли (　　　　　　). [пирожки́]

私たちは(複数の)ピロシキを買いました。

2 次の[　　]内の形容詞(疑問詞)と名詞を対格にしましょう。

※形が変わらないものもあります。

(1) (　　　　　　) вы́ чита́ете? [Кака́я кни́га]

どういう本を読んでいるのですか?

(2) Я́ де́лаю (　　　　　　). [дома́шнее зада́ние]

私は宿題をやっています。

(3) Мы́ изуча́ем (　　　　　　). [ру́сский язы́к]

私たちはロシア語を勉強しています。

(4) О́н купи́л (　　　　　　). [чёрная икра́]

彼はキャビア(黒いイクラ)を買いました。

(5) Мы́ купи́ли (　　　　　　　　). [хоро́шая маши́на]
私たちは良い車を買いました。

(6) Они́ лю́бят (　　　　　　　　). [све́жие сала́ты]
彼らはフレッシュサラダが好きです。

3 日本語訳に合うように、次の(　　)内に動詞**люби́ть**を適切な形にして入れましょう。

(1) Я (　　　　　　) горя́чий ча́й. 私は熱い紅茶が好きです。

(2) Ты́ (　　　　　　) Мари́ну? 君はマリーナを愛しているの?

(3) Мы́ (　　　　　　) ру́сскую культу́ру.
私たちはロシア文化が好きです。

(4) Вы́ (　　　　　　) «Лебеди́ное о́зеро»?
『白鳥の湖』はお好きですか?

(5) О́н (　　　　　　) Мари́ю. 彼はマリヤを愛していた。

4 ロシア語で書いてみましょう。

(1) どうしてあなたはロシア語を勉強しているのですか?

(2) なぜなら、私はロシアの歴史が好きだからです。

(3) 君はどういう音楽が好きなの?

(4) 私は日本の音楽が好きです。

解答は198ページ

第9課

人称代名詞の対格、動詞хоте́ть

Хочу́!

欲しいです！

これを学ぼう！

- □ 人称代名詞の対格の形を覚えよう。
- □ **хоте́ть**は「欲しい、～したい」を意味する不規則変化の動詞。

これができる！

- □ 「私を」「あなたを」など、人称代名詞の対格を用いた表現を使えるようになる。
- □ 動詞**хоте́ть**を使って、したいことや欲しいものについて言えるようになる。

※これから学ぶこと

- 人称代名詞も格変化します。ここでは対格を学びます。→ ❶
- 3人称の所有代名詞**его́**（彼の、それの）、**её**（彼女の）、**и́х**（彼らの、それらの）は、人称代名詞の対格**его́**（彼を、それを）、**её**（彼女を）、**и́х**（彼らを、それらを）と同じ形をしています。→ ❶
- **что́**は英語のthat節のthatに相当する接続詞としても用いられます。→ ❷
- **хоте́ть**は「欲しい、～したい」を意味する不規則変化の動詞で、アクセントもランダムに移動します。→ ❸

実際の会話例を見てみましょう

相手に勧める

A-55

A Я́ слы́шал, что́ вы́ лю́бите варе́нье.
ヤー スルィーシャル シュト ヴィー リュービチェ ヴァリェーニエ

B Да́, люблю́!
ダー リュブリュー

A Вчера́ я́ свари́л о́чень вку́сное варе́нье.
フチらー ヤー スヴァりール オーチニ フクースナエ ヴァりェーニエ

Не хоти́те его́?
ニはチーチェ イヴォー

B Хочу́!
はチュー

A：あなたはジャムがお好きだと伺ったのですが。

B：ええ、好きです！

A：昨日、とてもおいしいジャムを作ったんです。
いかがですか？（直訳：それを欲しくないですか？）

B：欲しいです！

この課で覚えたい語句

- □ бра́т 兄、弟
- □ варе́нье ジャム
- □ вку́сный おいしい
- □ давно́ ずっと前から、長い間
- □ ду́мать 思う、考える①
- □ его́ 彼の、それの
- □ её 彼女の
- □ и́х 彼らの、それらの
- □ класси́ческий クラシックの
- □ пло́хо 悪く、下手に
- □ свари́ть 煮る②
- □ сестра́ 姉、妹
- □ слы́шать 聞く、聞こえる②
- □ хоте́ть 欲しい、～したい〔不規則〕
- □ что́〔接続詞〕 ～ということを

この課のポイント

1 人称代名詞の対格

A-56

人称代名詞も格変化します。対格は以下のような形になります。

主格	я́	ты́	о́н	оно́	она́	мы́	вы́	они́
対格	**меня́**	**тебя́**	**его́**		**её**	**на́с**	**ва́с**	**и́х**

- **о́н** と **оно́** の対格はどちらも **его́** になります。
- **его́** は「イゴー」ではなく「イヴォー」と発音されます。

Я́ о́чень люблю́ **ва́с.** 私はあなたをとても愛しています。
ヤー　オーチニ　リュブリュー　ヴァース

Ма́ма **меня́** не понима́ет. ママは私をわかってくれない。
マーマ　ミニャー　ニパニマーイト

Мы́ зна́ем **и́х** давно́. 私たちは彼らを昔から知っています。
ムィー　ズナーイム　イーふ　ダヴノー

◆ 所有代名詞 его́, её, и́х

第4課では、1人称と2人称の所有代名詞 **мо́й**（私の）、**тво́й**（君の）、**на́ш**（私たちの）、**ва́ш**（君たち・あなたたちの、あなたの）を学びました。ここでは3人称の所有代名詞を覚えましょう。

彼(о́н)の	それ(оно́)の	彼女(она́)の	彼ら(они́)の
его́	**его́**	**её**	**и́х**

- 1人称と2人称の所有代名詞は修飾する名詞の性・数・格に合わせて変化しますが（➡ p. 211参照）、3人称の所有代名詞は変化せず、常に上記の形のままです。
- 人称代名詞の対格と形も読み方も同じですが、別のものなので混同しないように注意！

Его́ бра́т лю́бит пи́во.　彼の兄（弟）はビールが好きです。
イヴォー　ブらート　リュービト　ピーヴァ

Мы́ зна́ем **его́** хорошо́.　私たちは彼をよく知っています。
ムィー　ズナーイム　イヴォー　はらショー

2 接続詞 что́

A-57

что́ は疑問詞だけではなく、英語の接続詞thatと同じような接続詞としても用いられます。

О́н говори́л, **что́** **вы́ лю́бите му́зыку**.
オーン　ガヴァリール　シュト　ヴィー　リュービチェ　ムーズィク

あなたは音楽がお好きだと、彼が言っていました。

Я́ слы́шал, **что́** **о́н говори́т по-англи́йски пло́хо**.
ヤー スルィーシャル　シュト オーン　ガヴァリール　パアングリースキ　プローは

彼は英語を話すのが下手だと、私は聞きました。

Вы́ ду́маете, **что́** **о́н до́брый**?
ヴィー　ドゥーマイチェ　シュト　オーン　ドーブるィ

彼は親切だとあなたは思っているのですか？

接続詞**что́**は、「言う」「聞く」「考える」などを意味する動詞と一緒に用いて、その具体的な内容が**что́**の後ろに続く従属文（上の例では下線部）で説明されます。

◆ 動詞 **слу́шать** と **слы́шать**

どちらも「聞く」という動詞ですが、少し意味が異なります。

слу́шать…「聞こうと思って意識的に聞く」（＝英語のlisten）〔第1変化〕
слы́шать…「意識しているか否かにかかわらず耳に入ってくる、聞こえる、噂話などを耳にする」（＝英語のhear）〔第2変化〕

Ты́ меня́ **слы́шишь**?　私の声、聞こえてる？
トゥイー ミニャー　スルィーシシュ

Моя́ сестра́ ча́сто **слу́шает** класси́ческую му́зыку.
マヤー　シストらー　チャースタ　スルーシャイト　クラシーチスクユ　ムーズィク

私の姉（妹）はよくクラシック音楽を**聴きます**。

Слу́шаю ва́с!　もしもし！
スルーシャユ　ヴァース

«**Слу́шаю ва́с!**»は直訳すると「私はあなたの言うことを聴いています」という意味で、電話であいさつするときの慣用表現です。

3 不規則動詞 хоте́ть

A-58

хоте́тьは「欲しい、～したい」を意味する不規則変化の動詞です。

я	хочу́	мы́	хоти́м
ты́	хо́чешь	вы́	хоти́те
о́н	хо́чет	они́	хотя́т

Я́ **хочу́** кра́сное пла́тье.　私は赤いワンピースが**欲しいです**。
ヤー　はチュー　くらースナエ　プラーチエ

О́н **хо́чет** пи́ть ко́фе.　彼はコーヒーを飲み**たがっています**。
オーン　ほーチト　ピーチ　コーフェ

Перерыв ちょっと休憩

冬の長いロシアは保存食大国です。特に果物を煮詰めたジャムは絶品！ロシアはベリー類が豊富なので、たくさんの種類のジャムがあります。ところで、日本ではジャムを入れた紅茶を「ロシアン・ティー」と呼ぶことがありますが、本場ロシアではこういう飲み方はせず、別の小皿にジャムをよそって、それをスプーンですくって舐めながら紅茶を飲むのが一般的です。このほうがジャムの味を直接楽しめるので、ジャムを愛するロシアならではの味わい方ですね。

チャレンジ! 実践会話

A-59

ニコライがアンナに真剣な表情で尋ねます。

Никола́й : А́нна, **я́ хочу́ тебя́ спроси́ть.**

А́нна : Что́?

Никола́й : Кто́ тако́й Джо́нни?
Я́ слы́шал, что́ ты́ лю́бишь его́. Пра́вда?

А́нна : Да́, э́то пра́вда.

Никола́й : Бо́же мо́й! Ты́ э́то серьёзно?

А́нна : Да́, коне́чно. Э́то мо́й пёсик!

ニコライ：アンナ、君に聞きたいことがあるんだ。
アンナ：何?
ニコライ：ジョニーっていったい誰?
君がそいつを好きだって聞いたよ。本当かい?
アンナ：うん、本当よ。
ニコフイ：なんてこった! マジなの?
アンナ：うん、もちろん。それ、うちのワンちゃんなの!

語注

пёсик 〔пёс(雄の犬)の指小形〕(雄の)ワンちゃん(※「指小形」とは、小さいものやかわいらしいものを表す形です。) серьёзно 真剣に、真面目に

спроси́ть 〔対格に〕尋ねる、質問する② (※日本語では「～に尋ねる、質問する」と言いますが、ロシア語では対格を用いる動詞なので注意しましょう。)

тако́й (1)そのような (2)いったい

1 次の[　　]内の人称代名詞を対格にしましょう。

(1) Я́ люблю́ (　　　　). [о́н]
私は彼を愛しています。

(2) Я́ хочу́ (　　　　) спроси́ть. [вы́]
私はあなたに質問したいです。

(3) Наве́рное, она́ зна́ет (　　　　). [я́]
たぶん、彼女は私のことを知っています。

(4) Я́ зна́ю (　　　　) давно́. [они́]
私は彼らのことを昔から知っています。

(5) Они́ (　　　　) хорошо́ понима́ют. [мы́]
彼らは私たちのことをよく理解してくれています。

(6) Я́ (　　　　) не понима́ю. [ты́]
私は君のことがわからない。

2 下線部に注意しながら、次の文を日本語に訳してみましょう。

(1) Её ма́ма хорошо́ зна́ет и́х.

(2) Мы́ зна́ем его́ сестру́.

(3) Кто́ стро́ит и́х до́м?

(4) Его́ бра́т лю́бит её.

3 次の（　）内に動詞**хоте́ть**を適切な形に変化させて入れましょう。

(1) Я́（　　　　）пи́ть ча́й. 私は紅茶が飲みたいです。

(2) Ты́（　　　　）купи́ть пирожо́к?
君はピロシキを買いたいの？

(3) Мы́（　　　　）купи́ть да́чу.
私たちは別荘を買いたいです。

(4) Вы́（　　　　）смотре́ть бале́т?
あなたはバレエを見たいですか？

(5) О́н（　　　　）рабо́тать зде́сь.
彼はここで働きたがっています。

(6) Они́（　　　　）отдыха́ть. 彼らは休みたがっています。

4 日本語訳に合うように、次の（　）内に動詞**слу́шать**もしくは**слы́шать**のどちらかを適切な形に変化させて入れましょう。

(1) Вы́ ча́сто（　　　　）му́зыку?
あなたはよく音楽を聴きますか？

(2) Я́（　　　　）, что́ вы́ хоти́те рабо́тать та́м.
あなたはあそこで働きたがっていると聞きました。

(3) Я́ ва́с пло́хо（　　　　）.
あなたの声がよく聞こえません。

(4)（　　　　）ва́с! もしもし！

解答は198ページ

第10課

前置格（単数）

На како́м этаже́ вы́ живёте?

何階にお住まいなんですか？

これを学ぼう！

- □ 名詞と形容詞の前置格（単数）の形を覚えよう。
- □ 「住む、暮らす、生きる」を意味する不規則変化の動詞**жи́ть**を覚えよう。

これができる！

- □ 「～で…する」「～に…がある」など、場所を表す言い方が使えるようになる。
- □ 住んでいるところがどこか言えるようになる。

これから学ぶこと

- 名詞と形容詞の**前置格**（単数）について学びます。名詞の前置格の語尾は**-е** / **-и**、形容詞の前置格の語尾は男性形・中性形が**-ом** / **-ем**、女性形が**-ой** / **-ей**です。→❶
- **前置格は、必ず前置詞を伴います**。格それ自体には意味はなく、伴う前置詞に応じて意味が決まってきます。→❶
- 前置詞**о**（～について）、**в**（～の中で、～で）、**на**（～の上で、～で）を伴う名詞は前置格になります。→❷

実際の会話例を見てみましょう

住んでいる場所を説明する

A-60

A Ви́дите бе́лое зда́ние?
ヴィーヂチェ ビェーラエ ズダーニエ

Я́ та́м живу́.
ヤー ターム ジヴー

B Како́е высо́кое зда́ние!
カコーエ ヴィソーカエ ズダーニエ

На како́м этаже́ вы́ живёте?
ナカコーム エタジェー ヴィー ジヴョーチェ

A На деся́том.
ナヂシャータム

A：白い建物が見えますか? 私はあそこに住んでいるんです。

B：なんて高い建物なんでしょう!

何階にお住まいなんですか?

A：10階です。

この課で覚えたい語句

- ☐ бе́лый 白い
- ☐ в [+前置格]～の中で、～で
- ☐ ви́деть 見える②
- ☐ высо́кий 高い
- ☐ вы́ставка 展覧会
- ☐ го́род 町
- ☐ деся́тый 10番目の
- ☐ жи́ть 住む、暮らす、生きる〔不規則〕
- ☐ како́й (1)どのような〔疑問詞〕 (2)なんという〔感嘆〕
- ☐ карти́на 絵
- ☐ ле́тний 夏の
- ☐ Москва́ モスクワ
- ☐ на [+前置格]～の上で、～で
- ☐ пе́рвый 1番目の
- ☐ пло́щадь 広場女
- ☐ рабо́та 仕事、職場
- ☐ Са̀нкт-Петербу́рг サンクトペテルブルク
- ☐ Сиби́рь シベリア女
- ☐ сто́л 机、テーブル
- ☐ трамва́й 路面電車
- ☐ шко́ла 学校
- ☐ эта́ж 階
- ☐ ю́бка スカート

1 名詞の前置格（単数）

🔈 A-61

前置格は、それ自体が何か決まった意味を持つわけではありません。必ず前置詞を伴い、その前置詞によって意味が決まります（前置格を伴わない前置詞もあります）。前置格（単数）の形を整理してみましょう。

男性名詞				
単数	語末	**-子音**	**-й**	**-ь**
	主格	журна́л 雑誌	музе́й 美術館、博物館	писа́тель 作家
	前置格	журна́ле	музе́е	писа́теле

中性名詞			
単数	語末	**-о**	**-е**
	主格	письмо́ 手紙	мо́ре 海
	前置格	письме́	мо́ре

女性名詞				
単数	語末	**-а**	**-я**	**-ь**
	主格	газе́та 新聞	неде́ля 週	тетра́дь ノート
	前置格	газе́те	неде́ле	тетра́ди

-ьで終わる女性名詞は**-и**に、それ以外はすべて**-е**になります。

◆ 前置格を伴う前置詞（1）о

前置格を伴う代表的な前置詞**о**は「～について」という意味です。

🔈 – **О чём вы́ ду́маете?** 「何について考えているのですか？」
アチョーム　ヴィー　ドゥーマイチェ

🔈 – **Я́ ду́маю о жи́зни.** 「人生について考えています」（> жи́знь 女）
ヤー　ドゥーマユ　アジーズニ

🔈 – **О ко́м** о́н ду́мал? 「彼は誰について考えていたのですか？」
アコーム オーン ドゥーマル

🔈 – О́н ду́мал **о бра́те**. 「彼は兄(弟)について考えていました」(> бра́т)
オーン ドゥーマル アブらーチェ

чём は **что́**(何)の、**ко́м** は **кто́**(誰)の前置格です。

◆ 前置格を伴う前置詞(2) в と на

前置詞 **в** と **на** はどちらも場所を表しますが、意味や用法が少し異なります。

в：～の中に、～で(＝in) ⟷ **на**：～の上に、～で(＝on)

位置関係を具体的に示したい場合、中にあるときは **в**、上にあるときは **на** を使います。

🔈 – Где́ слова́рь? 「辞書はどこ？」
グヂェー スラヴァーり

🔈 – О́н **в** столе́. / О́н **на** столе́. 「机の中です／机の上です」(> сто́л)
オーン フスタリェー オーン ナスタリェー

動作や行為の場所を表す場合、普通は **в** を使います。

🔈 Они́ рабо́тают **в шко́ле**. 彼らは学校で働いています。(> шко́ла)
アニー らボータユト フシュコーリェ

ただ、平らな場所、開けた場所、イベント、職場などを表す一部の名詞には **на** を使います。

🔈 Тури́сты стоя́ли **на пло́щади**.
トゥりーストゥイ スタヤーリ ナプローッシヂ

旅行者たちは広場に立っていました。(> пло́щадь 女)

🔈 Сего́дня они́ **на вы́ставке** / **на рабо́те**.
シヴォードニャ アニー ナヴィースタフケ ナらボーチェ

今日、彼らは展覧会に／職場に行っています。(> вы́ставка / рабо́та)

2 形容詞の前置格（単数）

A-62

形容詞の前置格（単数）の形は以下のとおりです。

	硬変化			硬変化（語尾アクセント型）		
	男性形	中性形	女性形	男性形	中性形	女性形
主格	краси́вый	краси́вое	краси́вая	молодо́й	молодо́е	молода́я
前置格	краси́вом		краси́вой	молодо́м		молодо́й

	軟変化		
	男性形	中性形	女性形
主格	си́ний	си́нее	си́няя
前置格	си́нем		си́ней

Она́ купи́ла краси́вую ю́бку **в но́вом магази́не**.
アナー　クピーラ　くらシーヴユ　ユープク　ヴノーヴァム　マガジーニェ

彼女は**新しい店**できれいなスカートを買いました。(> но́вый магази́н)

Мы́ изуча́ем ру́сский язы́к **в ле́тней шко́ле**.
ムィー　イズチャーイム　るースキー　イズィーク　ヴリェートニェイ　シュコーリェ

私たちは**サマースクール**でロシア語を勉強しています。(> ле́тняя шко́ла)

Вчера́ они́ выступа́ли **в Большо́м теа́тре**.
フチらー　アニー　ヴィストゥパーリ　ヴバリショーム　チアートりェ

昨日、彼らは**ボリショイ劇場**に出演しました。(> Большо́й теа́тр)

◆ 不規則動詞**жи́ть**

動詞**жи́ть**（住む、暮らす、生きる）は不規則変化の動詞です。

я́ **живу́**, ты́ **живёшь**, о́н **живёт**,
мы́ **живём**, вы́ **живёте**, они́ **живу́т**

Я́ живу́ в Москве́ уже́ давно́.
ヤー　ジヴー　ヴマスクヴィエー　ウジェー　ダヴノー

私はもう長いことモスクワに**住んでいます**。

チャレンジ！実践会話

A-63

母に息子が得意げな顔をして打ち明けます。

Ми́ша : Ма́ма, ты́ зна́ешь мо́й секре́т?
Я́ инопланетя́нин!

Ма́ма : Пра́вда? Интере́сно!
Зна́чит, **ты́ живёшь где́-то в ко́смосе?**

Ми́ша : Да́! **На Ма́рсе!**

Ма́ма : Ну́ ка́к та́м, на Ма́рсе?

Ми́ша : Прекра́сно!

ミーシャ：ねえお母さん、僕の秘密、知ってる?
僕、宇宙人なんだ！

ママ：そうなの？　おもしろいわね！
つまり、**あなたはどこか宇宙に住んでいるのね?**

ミーシャ：うん！　**火星だよ！**

ママ：で、火星はどんな感じ?

ミーシャ：すてきだよ！

語注

где́-то どこかに　зна́чит つまり　инопланетя́нин 宇宙人
ка́к どのように　ко́смос 宇宙　Ма́рс 火星（大文字で書きはじめます）
ну́ （相手の注意を引くときの）さあ、ねえ、それで
прекра́сно すばらしい

1 次の［　］内の名詞を前置格に変えましょう。

(1) Моя́ сестра́ рабо́тает в (　　　　　). ［шко́ла］
私の姉(妹)は学校で働いています。

(2) О́н мно́го зна́ет о (　　　　　).
［Са̀нкт-Петербу́рг］
彼はサンクトペテルブルクについてたくさん知っています。

(3) Я́ сейча́с в (　　　　　). ［трамва́й］
私は今、路面電車の中にいます。

(4) – Где́ де́ньги? – В (　　　　　). ［сто́л］
「お金はどこ?」「机の中だよ」

(5) Мы́ сего́дня на (　　　　　). ［мо́ре］
今日私たちは海に来ています。

2 次の［　］内の形容詞と名詞を前置格に変えましょう。

(1) Её бра́т рабо́тает в (　　　　　). ［но́вый о́фис］
彼女の兄(弟)は新しいオフィスで働いています。

(2) Мы́ за́втракали в (　　　　　). ［ста́рое кафе́］
私たちは古いカフェで朝食を取りました。

(3) Они́ говоря́т о (　　　　　). ［ру́сская му́зыка］
彼らはロシア音楽について話しています。

(4) Вы́ говори́те о его́ (　　　　　). ［ле́тняя да́ча］
あなたは彼の夏用の別荘について話しているのですか?

(5) Тури́сты стоя́т на (　　　　　).
［Кра́сная пло́щадь］
旅行者たちが赤の広場に立っています。

3 次の（　　）内に動詞**жи́ть**を適切な形に変化させて入れましょう。

(1) Я́ (　　　　　) в большо́м до́ме.
私は大きな家に住んでいます。

(2) Мы́ (　　　　　) в краси́вом го́роде.
私たちは美しい町に住んでいます。

(3) На како́м этаже́ ты́ (　　　　　)?
君は何階に住んでいるの？

(4) Вы́ (　　　　　) в Сиби́ри?
あなたはシベリアに住んでいるのですか？

(5) И́х де́душка (　　　　　) зде́сь.
彼らのおじいちゃんはここに住んでいます。

(6) Они́ (　　　　　) на деся́том этаже́.
彼らは10階に住んでいます。

4 次の（　　）内に適切な前置詞を1語入れましょう。

(1) Она́ ча́сто ду́мает (　　　　) жи́зни.
彼女はよく人生について考えます。

(2) На́ш дя́дя отдыха́ет (　　　　) маши́не.
私たちの叔父さんは車の中で休んでいます。

(3) Ви́дишь кни́гу (　　　　) столе́?
机の上に本があるの、見える？

(4) (　　　　) како́м магази́не вы́ купи́ли ю́бку?
どのお店であなたはスカートを買ったのですか？

(5) (　　　　) вы́ставке мы́ ви́дели краси́вые карти́ны.
展覧会で私たちは美しい絵を見ました。

解答は198ページ

第11課

与格（単数）

Кому́ ты́ подари́л цветы́?

誰にお花をプレゼントしたの？

これを学ぼう！

- □ **名詞と形容詞の与格（単数）の形を覚えよう。**
- □ **人称代名詞の与格の形を覚えよう。**

これができる！

- □ **「誰にですか?」と聞けるようになる。**
- □ **「～に…をプレゼントした（買った、見せた、電話した、など）」という文が言えるようになる。**

これから学ぶこと

- 名詞と形容詞の**与格**（単数）を学びます。与格は**間接目的語**（～に）を表します。→ ❶
- 名詞の与格の語尾は、男性・中性名詞が **-у / -ю**、女性名詞は前置格と同じく **-е / -и** になります。→ ❶
- 形容詞の与格の語尾は男性形・中性形が **-ому / -ему**、女性形はやはり単数前置格と同じ **-ой / -ей** です。→ ❷
- 人称代名詞の与格の形を学びます。→ ❸

実際の会話例を見てみましょう

国際女性デー

A-64

A Сего́дня междунаро́дный же́нский де́нь.
シヴォードニャ　ミジュドゥナろードヌィ　ジェーンスキー　ヂェーニ

Кому́ ты́ подари́л цветы́?
カムー　トゥイー　パダリール　ツヴィトゥイー

B Ма́ме, ба́бушке, тёте и ста́ршей сестре́.
マーミェ　バーブシュケ　チョーチェ イ　スターるシェイ　シストリェー

A А мне́?
ア　ムニェー

A：今日は国際女性デー*だね。
誰にお花をプレゼントしたの?

B：お母さんとおばあちゃんとおばさんとお姉ちゃんだよ。

A：で、私には?

＊国際女性デー：3月8日。女性の地位向上などを訴えるために国連が制定した記念日で、ロシアではこの日に男性が身近な女性たちに花を贈る習慣がある。

この課で覚えたい語句

- □ ге́ний 天才
- □ жена́ 妻
- □ же́нский 女性の
- □ иногда́ 時々
- □ кольцо́ 指輪、輪
- □ междунаро́дный 国際的な
- □ му́ж 夫
- □ мы́шь ネズミ、(パソコンの)マウス[女]
- □ подари́ть プレゼントする②
- □ подру́га ガールフレンド
- □ показа́ть 見せる、示す〔不規則〕
- □ руба́шка シャツ
- □ ста́рший 年上の
- □ тре́нер コーチ
- □ университе́т 大学
- □ фотогра́фия 写真
- □ цвето́к 花(複数形はцветы́)

この課のポイント

1 名詞の与格（単数）

A-65

与格は間接目的語（～に）を表します。名詞の与格（単数）の形は以下のとおりです。

男性名詞				
単数	語末	-子音	-й	-ь
	主格	журнали́ст ジャーナリスト	ге́ний 天才	писа́тель 作家
	与格	журнали́сту	ге́нию	писа́телю

中性名詞			
単数	語末	-о	-е
	主格	письмо́ 手紙	мо́ре 海
	与格	письму́	мо́рю

女性名詞				
単数	語末	-а	-я	-ь
	主格	сестра́ 姉、妹	тётя おばさん	мы́шь ネズミ、(パソコンの)マウス
	与格	сестре́	тёте	мы́ши

女性名詞は与格と前置格が同じ形です。

◆ **疑問詞の与格**

疑問詞 **кто́**（誰）と **что́**（何）の与格は以下のとおりです。

主格	кто́	что́
与格	**кому́**	**чему́**

– **Кому́** вы́ звони́те? 「誰に電話しているのですか？」

– Я́ звоню́ **бра́ту**. 「私は兄（弟）に電話しています」(> бра́т)

Му́ж подари́л **жене́** кольцо́.

夫は妻に指輪を贈りました。(> жена́)

А́нна говори́т **Никола́ю** о но́вом кафе́.

アンナはニコライに新しいカフェについて話しています。(> Никола́й)

2 形容詞の与格（単数）

A-66

形容詞の与格（単数）の形は以下のとおりです。

	硬変化			硬変化（語尾アクセント型）		
	男性形	中性形	女性形	男性形	中性形	女性形
主格	краси́вый	краси́вое	краси́вая	молодо́й	молодо́е	молода́я
与格	краси́вому		краси́вой	молодо́му		молодо́й

	軟変化		
	男性形	中性形	女性形
主格	си́ний	си́нее	си́няя
与格	си́нему		си́ней

Я́ показа́л фотогра́фию **ста́ршему бра́ту**.

私は兄に写真を見せました。(> ста́рший бра́т)

О чём тре́нер говори́л **молодо́й фигури́стке**?

コーチは何について若い女子フィギュアスケート選手に話していたのでしょう？
(> молода́я фигури́стка)

3 人称代名詞の与格

A-67

人称代名詞の与格は以下のとおりです。

主格	я́	ты́	о́н	оно́	она́	мы́	вы́	они́
与格	**мне́**	**тебе́**	**ему́**		**е́й**	**на́м**	**ва́м**	**и́м**

Она́ подари́ла **ему́** бе́лую руба́шку.

彼女は**彼に**白いシャツをプレゼントしました。

Я́ купи́л **ва́м** си́нюю ю́бку.

私は**あなたに**青いスカートを買いました。

Э́то **тебе́**!

これは**君に**だよ！

Перерыв ちょっと休憩

右ページの「チャレンジ！実践会話」に「名の日（**имени́ны**）」というのが出てきますが、日本人にはなじみがないかもしれません。そもそもロシア人の名前はキリスト教の聖人の名にちなんでつけられるのが一般的です。それぞれの聖人には、その人を記念して祝う日があり、どの日付にどの聖人が割り当てられるのかを示す「聖人暦」が教会によって決められています。その日に割り当てられた聖人と同じ名前の人をお祝いするのが「名の日」。自分の名前と同じ聖人は「守護聖者」とされるので、かつては誕生日よりも「名の日」のほうが重要だと考えられていたほどです。昔ほどではありませんが、今でも、特に信仰心のあつい人たちの間では、身内でお祝いをしたり、教会を訪れたりする習慣が残っています（ただし、実践会話の登場人物アンナにとっては、単にお酒を飲む口実なのかもしれませんが・笑）。

チャレンジ! 実践会話

🔈 A-68

帰宅途中のスーパーマーケットで。

Áнна : Дóбрый вéчер, Сергéй!

Сергéй : Здрáвствуй, Áнна!
Чтó ты́ здéсь дéлаешь?

Áнна : **Купи́ла тóрт млáдшей сестрé.**
Сегóдня её имени́ны.

Сергéй : Ó, поздравля́ю! И винó тóже купи́ла?
Кáжется, твоя́ сестрá ещё мáленькая.

Áнна : **Э́то мнé!**

アンナ : こんばんは、セルゲイ!

セルゲイ : やあ、アンナ!
ここで何をしているの?

アンナ : **妹にケーキを買ったの。**
今日は彼女の「名の日」だから。

セルゲイ : おー、おめでとう!　それでワインも買ったの?
確か、妹さんはまだ小さかったよね。

アンナ : **これは自分用よ!**

語注

имени́ны 名の日　кáжется たぶん、確か　мáленький 小さい
млáдший 年下の　поздравля́ть 祝う①　тóже ～も　тóрт ケーキ

1 次の［　］内の名詞を与格に変えましょう。

⑴ Вчера́ я́ звони́л（　　　　　　）. ［нача́льник］
昨日私は上司に電話しました。

⑵ О́н купи́л（　　　　　　）то́рт. ［Ма́ша］
彼はマーシャにケーキを買ってあげました。

⑶ Когда́ вы́ подари́ли（　　　　　　）цветы́? ［Та́ня］
あなたはいつターニャに花を贈ったのですか?

⑷ А́нна иногда́ звони́т（　　　　　　）. ［Серге́й］
アンナは時々セルゲイに電話します。

2 次の［　］内の形容詞と名詞を与格に変えましょう。

⑴ О́н подари́л（　　　　　　　　　　）кольцо́.
［но́вая подру́га］
彼は新しいガールフレンドに指輪をプレゼントしました。

⑵ Они́ подари́ли（　　　　　　　　　　）краси́вые цветы́. ［молодо́й фигури́ст］
彼女たちは若いフィギュアスケート選手にきれいな花をプレゼントしました。

⑶ Она́ ча́сто звони́т（　　　　　　　　　　）.
［мла́дший бра́т］　彼女はよく弟に電話します。

⑷ Мы́ показа́ли на́ш университе́т（　　　　　　　）.
［ру́сский студе́нт］
私たちはロシアの学生に私たちの大学を見せました(案内してあげました)。

⑸ Что́ вы́ подари́ли（　　　　　　　　　　）?
［ста́ршая сестра́］
あなたはお姉さんに何をプレゼントしたのですか?

3 次の［　］内の人称代名詞と疑問詞を適切な形に変えましょう。

⑴（　　　）вы́ показа́ли фотогра́фию?［Кто́］
誰にあなたは写真を見せたのですか?

⑵ Ма́ма купи́ла（　　　）па́пку.［я́］
お母さんは私にファイルを買ってくれました。

⑶ Са́ша говори́л（　　　）о япо́нской культу́ре.［они́］
サーシャは彼らに日本文化について話しました。

⑷ А́нна показа́ла（　　　）го́род.［о́н］
アンナは彼に町を見せて（案内して）くれました。

⑸ Они́ показа́ли（　　　）Кра́сную пло́щадь.［мы́］
彼らは私たちに赤の広場を見せて（案内して）くれました。

⑹ О́н говори́т（　　　）, что́ лю́бит её.［она́］
君が好きなんだ、と彼は彼女に言います。（直訳：彼は彼女を愛しているのだと〔彼は〕彼女に言う）

⑺ Я́ хочу́ подари́ть（　　　）цветы́.［вы́］
私はあなたにお花をプレゼントしたいです。

4 朗読音声を聴いて、次の（　）内に入るロシア語を書き取ってみましょう。 A-69

⑴ О́н показа́л（　　　）краси́вую фотогра́фию.

⑵ Я́ подари́л（　　　　）（　　　　）ма́ленькую игру́шку.

⑶ Э́то（　　　）.

⑷（　　　）ты́ звони́шь?

解答は198〜199ページ

第12課

生格(単数)

Сего́дня его́ де́нь рожде́ния!

今日は彼の誕生日なんです！

これを学ぼう！

- □ 名詞と形容詞の生格（単数）の形と使い方を覚えよう。
- □ 前置詞**для**と**у**を覚えよう。

これができる！

- □ 所有や所属を表す「～の」という表現が使えるようになる。
- □ 「～のために」「～のそばに」という表現が使えるようになる。

✵これから学ぶこと

- 名詞と形容詞の生格（単数）について学びます。生格は「～の」（所有、所属）を意味します。→ ❶
- 名詞の生格の語尾は、男性・中性名詞が**-а** / **-я**、女性名詞は**-ы** / **-и**になります。→ ❶
- 形容詞の生格の語尾は男性形・中性形が**-ого** / **-его**、女性形は**-ой** / **-ей**（女性形与格・前置格と同じ）です。→ ❷
- 前置詞**для**（～のために）と**у**（～のそばに）を伴う名詞は生格になります。

実際の会話例を見てみましょう

誕生日プレゼント

B-01

A Что́ вы́ купи́ли?
シュトー ヴィー クピーリ

B Альбо́м худо́жника Михаи́ла Вру́беля.
アリボーム ふドージュニカ ミはイーラ ヴるービリャ

Э́то пода́рок для ста́ршего бра́та.
エータ パダーらク ドリャスターるシヴァ ブらータ

Сего́дня его́ де́нь рожде́ния!
シヴォードニャ イヴォー ヂェーニ らジュヂェーニヤ

A：何を買ったんですか?

B：画家ミハイル・ヴルーベリ*の画集です。

これは兄のためのプレゼントです。

今日は彼の誕生日なんです!

*ミハイル・ヴルーベリ(Михаи́л Вру́бель, 1856 - 1910)：ロシアの画家。耽美な作風で知られる。

この課で覚えたい語句

- □ альбо́м アルバム、画集
- □ бо́рщ ボルシチ
- □ для [+生格]～のために、～にとって(=for)
- □ дру́г 男性の友人
- □ интервью́ インタビュー中[不変化]
- □ па́мятник 記念碑
- □ пода́рок プレゼント
- □ реце́пт レシピ
- □ рожде́ние 誕生
- □ студе́нтка 女子大学生
- □ у [+生格]～のそばに、～のところに
- □ худо́жник 画家
- □ це́нтр 中心、センター
- □ Че́хов チェーホフ(1860-1904、ロシアの作家)
- □ Ши́шкин シーシュキン(1832-98、ロシアの画家)

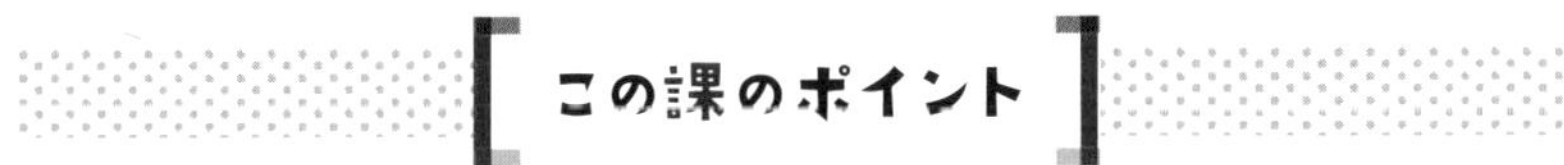

1 名詞の生格（単数）

🔈 B-02

生格は所有・所属（〜の）を表します。名詞の生格（単数）の形は以下のとおりです。

男性名詞				
単数	語末	-子音	-й	-ь
	主格	журнали́ст ジャーナリスト	ге́ний 天才	писа́тель 作家
	生格	журнали́ста	ге́ния	писа́теля

中性名詞			
単数	語末	-о	-е
	主格	письмо́ 手紙	мо́ре 海
	生格	письма́	мо́ря

女性名詞				
単数	語末	-а	-я	-ь
	主格	сестра́ 姉、妹	тётя おばさん	мы́шь ネズミ、（パソコンの）マウス
	生格	сестры́	тёти	мы́ши

-га, -ка, -ха, -жа, -ча, -ша, -ща で終わる女性名詞の生格は正書法の規則（➡ p. 203）が適用されます。その場合、語尾は-ыではなく-иになります。

例 **студе́нтка** 女子大学生 ➡ 〔単数生格〕**студе́нтки**（×**студе́нткы**）

🔈 Моя́ мла́дшая сестра́ чита́ет кни́гу **Че́хова**.

私の妹はチェーホフの本を読んでいます。（> Че́хов）

На столе́ стои́т фотогра́фия его́ **жены́**.

机の上に彼の**妻**の写真があります。(> жена́)

В це́нтре **пло́щади** стои́т па́мятник.

広場の中心に記念碑が立っています。(> пло́щадь[女])

Вы́ уже́ купи́ли уче́бник **эконо́мики**?

経済学の教科書はもう買いましたか？(> эконо́мика)

2 形容詞の生格(単数)

B-03

形容詞の生格(単数)の形は以下のとおりです。

	硬変化			硬変化(語尾アクセント型)		
	男性形	中性形	女性形	男性形	中性形	女性形
主格	краси́вый	краси́вое	краси́вая	молодо́й	молодо́е	молода́я
生格	краси́вого		краси́вой	молодо́го		молодо́й

	軟変化		
	男性形	中性形	女性形
主格	си́ний	си́нее	си́няя
生格	си́него		си́ней

※ -ого, -его の г は в の音で発音します。

女性形生格は、女性形与格・前置格と同じ形です。

На́ша ба́бушка зна́ет реце́пт **вку́сного борща́**.

うちのおばあちゃんは**おいしいボルシチ**のレシピを知っています。(> вку́сный бо́рщ)

Я́ хочу́ показа́ть ва́м фотогра́фию **ста́ршего бра́та**.

私はあなたに**兄**の写真を見せたいです。(> ста́рший бра́т)

Вы́ чита́ли интервью́ **япо́нской фигури́стки**?

あなたは**日本の女子フィギュアスケート選手**のインタビューを読みましたか？
(> япо́нская фигури́стка)

3 生格を伴う前置詞 для と у

🔈 B-04

前置詞の中には、伴う名詞を生格にしなければならないものもあります。特に覚えておきたいのは、次の2つです。

для 〜のために、〜にとって（= for） **у** 〜のそばに、〜のところに

この2つの前置詞と、疑問詞 **кто́**（誰）と **что́**（何）の生格を使った文を見てみましょう。

主格	кто́	что́
生格	**кого́**	**чего́**

– **Для кого́** о́н купи́л цветы́? 「誰のために彼は花を買ったの？」

– **Для люби́мой ба́бушки.**

「愛するおばあちゃんのためさ」（> люби́мая ба́бушка）

– **Для чего́** вы́ живёте? 「あなたは何のために生きているのですか？」

– Я́ живу́ **для рабо́ты.** 「私は仕事のために生きています」（> рабо́та）

У вхо́да стои́т мо́й дру́г.

入り口のそばに私の友人が立っています。（> вхо́д）

Перерыв ちょっと休憩

この課では、ヴルーベリ、シーシュキンというロシアの画家が出てきます。どちらも日本ではあまり知られていませんが、ロシアでは大人気の画家です。シーシュキンは写実的な風景画を得意としました。特にロシアの森を描かせたら、右に出る人はいないぐらいで、本当に森の中にいるようなリアルさに圧倒されます。ヴルーベリは装飾的で耽美な画風で知られます。代表作の『デーモン』シリーズをはじめ、『ライラック』や『白鳥の王女』など、ロマンティックで幻想的なその作品を見ていると、思わず絵の中に引き込まれてしまいそうです。

チャレンジ！実践会話

🔈 B-05

アンナが花束を抱えたニコライと出くわします。

Никола́й : Приве́т, А́ня! Ка́к дела́?

А́нна : Норма́льно. О́й, каки́е краси́вые цветы́!
Для кого́ ты́ э́то купи́л?

Никола́й : **Для ста́рой подру́ги.**
Сего́дня её де́нь рожде́ния.

А́нна : А́х, та́к?

Никола́й : Ну́ ты́ что́, А́ня?

А́нна : Ничего́.

ニコライ：やあ、アーニャ！　調子はどう？
アンナ：普通よ。まあキレイな花！
誰のために買ったの？
ニコライ：**古くからのガールフレンドにさ。**
今日は彼女の誕生日なんだ。
アンナ：え、そうなの？
ニコライ：え、どうしたの、アーニャ？
アンナ：別に何でもないわ。

語注

а́х та́к　ああ、そうなんだ

Ка́к дела́?　元気？　調子はどう？（※дела́はде́ло〔物事〕の複数形）

ничего́　何でもない、何もない（= nothing, no problem）（※гはвと発音します。）

норма́льно　普通だ　　Ну́ ты́ что́?　え、何？

1 次の［　］内の名詞を生格に変えましょう。

⑴ Мы́ за́втракали в хоро́шем кафе́ в це́нтре (　　　). [Москва́]

私たちはモスクワの中心にあるすてきなカフェで朝食を取りました。

⑵ На вы́ставке мы́ ви́дели карти́ну (　　　). [Ши́шкин]

展覧会で私たちはシーシュキンの絵を見ました。

⑶ Э́то фотогра́фия (　　　). [тётя А́ня]

これはアーニャおばさんの写真です。

⑷ Для (　　　) вы́ живёте? [что́]

あなたは何のために生きているのですか?

2 次の［　］内の形容詞と名詞を生格に変えましょう。

⑴ Она́ купи́ла игру́шку для (　　　). [ма́ленькая сестра́]

彼女は小さな妹のためにおもちゃを買いました。

⑵ Я́ хочу́ купи́ть альбо́м (　　　). [хоро́ший худо́жник]

私は良い画家の画集を買いたいです。

⑶ О́н купи́л све́жий сала́т для (　　　). [голо́дный дру́г]

彼はおなかをすかせた友人のためにフレッシュサラダを買ってあげました。

⑷ Э́то уче́бник (　　　). [ру́сская исто́рия]

これはロシアの歴史の教科書です。

3 次の下線部の単数主格は何でしょうか？

(1) В це́нтре <u>го́рода</u> стои́т большо́е зда́ние. (　　　　)
町の中心に大きな建物が立っています。

(2) Тури́сты стоя́т у <u>вы́хода</u>. (　　　　)
観光客たちが出口のそばに立っています。

(3) Вы́ хоти́те купи́ть уче́бник <u>ру́сского языка́</u>?
(　　　　)(　　　　)
あなたはロシア語の教科書を買いたいのですか？

(4) Мы́ изуча́ем исто́рию <u>Япо́нии</u>. (　　　　)
私たちは日本の歴史を勉強しています。

(5) О́н купи́л пода́рок для <u>ста́ршей сестры́</u>.
(　　　　)(　　　　)
彼はお姉さんのためにプレゼントを買いました。

4 下の単語を参考にしながら、次の表現をロシア語で書いてみましょう。

(1) 姉のシャツ ________________

(2) ボリショイ劇場の建物 ________________

(3) 日本の作家の本 ________________

(4) 新しいガールフレンドの写真 ________________

参考の単語

Большо́й теа́тр ボリショイ劇場　зда́ние 建物
кни́га 本　писа́тель 作家　подру́га ガールフレンド
руба́шка シャツ　сестра́ 姉、妹　фотогра́фия 写真
но́вый 新しい　ста́рший 年上の　япо́нский 日本の

解答は199ページ

第13課

存在動詞бы́ть、所有の表現

У меня́ е́сть вопро́с.

質問があるんです。

これを学ぼう！

□ 存在動詞**бы́ть**について学ぼう。
□ 前置詞**у**を使った所有の表現を覚えよう。

これができる！

□ 存在動詞**бы́ть**を使って、「～がある」「～があった」と言えるようになる。
□ 「～は…を持っている／持っていた」という表現が使えるようになる。

✻これから学ぶこと

- 存在動詞**бы́ть**の現在形と過去形を学びます。**бы́ть**は英語のbe動詞に相当し、「～がいる・ある、～である」を意味します。→❶
- **бы́ть**は他の動詞とは違う特殊な動詞で、現在形は**е́сть**という一つの形しかありません。→❶
- 「～は…を持っている」は、«**У** ～ **е́сть** ...»と言います。「～」は生格、「…」は主格で、直訳すると「～のところには…がある」という意味の表現です。→❷
- 人称代名詞の生格の形を学びます。→❸
- 「～の名前は…です」は、«～ **зову́т** ...»と言います。→❹

実際の会話例を見てみましょう

先生に質問する

B-06

A Ива́н Петро́вич, у ва́с
イヴァーン　ピトろーヴィチ　ウヴァース

е́сть сейча́с вре́мя?
イェースチ　シィチャース　ヴりェーミャ

B Да́. Что́?
ダー　シュトー

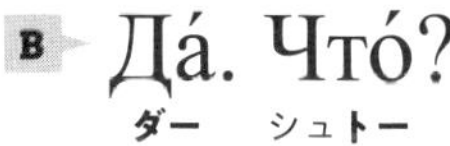

A **У меня́ е́сть вопро́с.**
ウミニャー　イェースチ　ヴァプろース

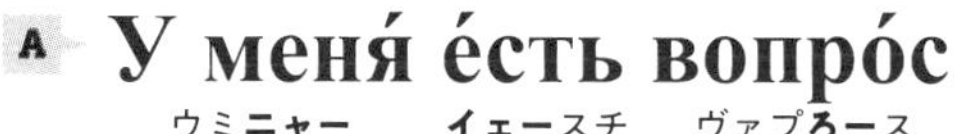

A：イワン・ペトローヴィチ先生*、今、お時間ありますか？
B：ええ。何ですか？
A：質問があるんです。

＊ ここでは相手のことを名前と父称（➡第3課❸）で呼んでいます。日本語の「～さん」に相当する丁寧な呼びかけ方ですが、先生と生徒の会話というシチュエーションなので「～先生」と訳しています。

この課で覚えたい語句

☐ биле́т チケット　☐ бы́ть ある、いる、～である〔不規則〕　☐ вопро́с 質問
☐ вре́мя 時間[中]　☐ до́чь 娘[女]　☐ зва́ть 呼ぶ〔不規則〕
☐ Кре́мль クレムリン[男]（もともとは「城塞」という意味の語ですが、「クレムリン」という固有名詞として用いる場合は大文字で始めます。）　☐ па́спорт パスポート　☐ сы́н 息子
☐ экза́мен 試験　☐ Эрмита́ж エルミタージュ（サンクトペテルブルクにある美術館）

この課のポイント

1 存在動詞 бы́ть

◁)) B-07

「～は…である」「～がいる、ある」を表す動詞を存在動詞と呼びます。この課では、ロシア語の存在動詞**бы́ть**を勉強しましょう。

存在動詞					
不定形	現在形	過去形			
	(不変化)	男性形	女性形	中性形	複数形
бы́ть	е́сть	бы́л	была́	бы́ло	бы́ли

бы́тьは英語のbe動詞に相当し、他の動詞とは違う特殊な動詞です。

- 現在形は人称変化せず、常に**е́сть**という形です。
- 過去形は女性形のアクセント位置が移動します。
- **не**を伴うときのアクセントは、**не́ был** / **не была́** / **не́ было** / **не́ были**となります。
- 現在時制では普通は省略されます。

例 О́н до́брый. 彼は親切です。(×О́н е́сть до́брый.)

- 過去時制では省略しません。また、「いる、ある」ということを明示したい場合は、現在時制でも省略しません。

◁)) В Москве́ **е́сть** Кре́мль и Кра́сная пло́щадь.
モスクワにはクレムリンと赤の広場があります。

◁)) В Са̀нкт-Петербу́рге **е́сть** Эрмита́ж.
サンクトペテルブルクにはエルミタージュがあります。

◁)) О́н **бы́л** до́брый. 彼は親切でした。

◁)) Пого́да **была́** хоро́шая. 天気は良かったです。

◁)) Вчера́ он **не́ был** на рабо́те.
昨日、彼は職場にいませんでした。

2 所有の表現

B-08

「～は…を持っています」という表現は、第12課で学んだ前置詞 **у**（～のところに）を使って **У ～ е́сть ...** のように言います。

- 直訳すると「～のところには…がある」という意味です。主語は「…」の部分です。
- 前置詞 **у** は生格を伴うので「～」の部分は生格になり、「…」の部分が主格になります（下の例文では生格を直線の下線、主格を波線で示しています）。

У Миха́йла е́сть да́ча. ミハイルは別荘を持っています。

У Ната́ши е́сть альбо́м Ши́шкина.
ナターシャはシーシュキンの画集を持っています。

上の2つの例文を過去形にしてみましょう。

У Миха́йла **была́** да́ча. ミハイルは別荘を持っていました。

У Ната́ши **бы́л** альбо́м Ши́шкина.
ナターシャはシーシュキンの画集を持っていました。

上の1つ目の例文では主語 да́ча に合わせて動詞が過去女性形の **была́** に、2つ目の例文では主語 альбо́м に合わせて過去男性形の **бы́л** になります。

3 人称代名詞の生格

B-09

人称代名詞の生格は以下のとおりです。

主格	я́	ты́	о́н	оно́	она́	мы́	вы́	они́
生格	**меня́**	**тебя́**	**его́ (него́)***		**её (неё)**	**на́с**	**ва́с**	**и́х (ни́х)***

＊（ ）内は前置格を伴うときの形です。

У **меня́** е́сть вопро́с.　私は質問があります。

У **тебя́** е́сть биле́т?　君はチケットを持ってる？

У **него́** е́сть сы́н.　彼には息子がいます。

У **неё** е́сть до́чь.　彼女には娘がいます。

У **на́с** е́сть экза́мен?　私たちは試験がありますか？

У **ва́с** е́сть па́спорт?　あなたはパスポートはお持ちですか？

У **ни́х** е́сть вре́мя.　彼らには時間があります。

前置詞 у を伴っているので、「彼」「彼女」「彼ら」の生格はそれぞれ**него́**, **неё**, **ни́х**（前ページの表のカッコ内の形）になります。過去時制にするときは、主語に合わせてе́стьの部分を過去形にします。

Когда́ у ни́х **бы́л** экза́мен?
彼らはいつ試験が**あった**のですか？

4 名前の聞き方と言い方

B-10

«〔対格〕**зову́т** ～»で、「〔対格〕の名前は～です」という意味になります。**зову́т**は不規則動詞**зва́ть**（呼ぶ）の3人称複数で、直訳すると「（彼らは）〔対格〕を～と呼びます」です。

Меня́ зову́т Ма́ша.　私の名前はマーシャです。（меня́はя́の対格）

名前を尋ねるときは«**Ка́к**〔対格〕**зову́т?**»と言います。直訳すると「どのように（彼らは）〔対格〕を呼びますか？」です。

Ка́к ва́с зову́т?　あなたの名前は何ですか？（ва́сはвы́の対格）

チャレンジ！ 実践会話

🔈 B-11

友人同士で家族や親戚について話しています。

Са́ша : Ма́ша, **у тебя́ е́сть бра́тья и́ли сёстры?**

Ма́ша : Да́. У меня́ е́сть ста́ршая сестра́ и мла́дшая.

Са́ша : Ка́к и́х зову́т?

Ма́ша : О́льга и Ири́на.

Са́ша : О́й, интере́сно. Ка́к в пье́се Че́хова!

Ма́ша : Да́, то́чно. Кста́ти, **у меня́ е́сть и дя́дя Ва́ня!**

サーシャ：ねえマーシャ、**君は兄弟か姉妹はいるの？**

マーシャ：うん。姉と妹がいるよ。

サーシャ：名前は？

マーシャ：オリガとイリーナ。

サーシャ：へえ、おもしろいな。チェーホフの戯曲みたい*だね！

マーシャ：うん、確かに。ちなみに、**私にはワーニャ伯父さん*もいるんだよ！**

＊ チェーホフの戯曲『三人姉妹』のこと（この作品に登場する三人の姉妹の名前がオリガ、マーシャ、イリーナなので）。また、『ワーニャ伯父さん』もチェーホフの戯曲のタイトルです。

語注

бра́тья 兄弟〔бра́тの不規則な複数形〕

и 〜と、〜も　　и́ли あるいは　　ка́к (1)どのように (2)〜のような

Ка́к и́х зову́т? 彼女たちの名前は何ですか？(и́хはони́の対格)

кста́ти ちなみに　　пье́са 戯曲　　сёстры 姉妹〔сестра́の不規則な複数形〕

то́чно ちょうど、確かに

1 次の文を過去形に変えましょう。

(1) Та́м е́сть большо́е о́зеро. あそこに大きい湖があります。

____

(2) Зде́сь е́сть университе́ты. ここには大学(複数)があります。

____

(3) На пло́щади е́сть па́мятник. 広場には記念碑があります。

____

(4) В це́нтре го́рода е́сть шко́ла. 町の中心には学校があります。

____

2 次の[　　]内の語を生格に変えましょう。

(1) У (　　　　　　) е́сть голуба́я руба́шка. [Серге́й]
セルゲイは水色のシャツを持っています。

(2) У (　　　　　　) е́сть ле́тнее пла́тье. [А́нна]
アンナは夏用のワンピースを持っています。

(3) У (　　　　　　　　　) была́ жена́. [ста́рший бра́т]
兄には妻がいました。

(4) У (　　　　　　) бы́л ма́ленький секре́т. [ба́бушка]
おばあちゃんには小さな秘密がありました。

3 日本語訳に合うように、次の(　　)内に適切なロシア語を入れましょう。

(1) У (　　　　　　) е́сть пода́рок для ва́с.
私にはあなたのためのプレゼントがあります。

(2) У (　　　　) е́сть хоро́ший дру́г.

彼には良い友人がいます。

(3) У (　　　　) е́сть вку́сный то́рт.

私たちのところにはおいしいケーキがあります。

(4) У тебя́ (　　　　) слова́рь? 辞書、持ってる?

(5) У ни́х (　　　　) де́ньги. 彼らはお金を持っていました。

4 下の単語を参考にしながら、次の文をロシア語で書いてみましょう。

(1) あなたはお時間がありますか?

(2) 彼には息子さんと娘さんがいます。

(3) 私はパスポートを持っています。

(4) 夫にはおじさんがいます。

(5) ここにお水はありますか?

参考の単語

вода́ 水	вре́мя 時間	до́чь 娘
дя́дя おじさん	зде́сь ここに	му́ж 夫
сы́н 息子	па́спорт パスポート	

解答は199ページ

第14課

動詞の未来形、否定生格

Ско́ро бу́дет экза́мен.

もうすぐ試験があるんだ。

これを学ぼう！

□ 未来時制について学ぼう。
□ 存在を否定するときに用いられる「否定生格」を理解しよう。

これができる！

□ 未来のことについて言えるようになる。
□ 「〜がない、なかった」という表現が使えるようになる。

❋これから学ぶこと

- **未来形**は、存在動詞**бы́ть**とそれ以外の動詞で作り方が異なります。**бы́ть**は未来形だと主語の人称に合わせて変化します。それ以外の動詞は、不定形に**бы́ть**の未来形を添えます。→ ❶❷
- 「〜月に」と言うときは「**в** + 月名の前置格」になります。→ ❶
- 「〜がない、なかった」（存在の否定）と言う場合、「〜」の部分を生格にします。このような生格の用法を**否定生格**と呼びます。→ ❸

実際の会話例を見てみましょう

教科書を借りる

B-12

A У тебя́ не́т уче́бника
ウチビャー ニェート ウチェーブニカ

англи́йского языка́?
アングリースカヴァ イズィカー

B Е́сть. А что́?
イェースチ ア シュトー

A **Ско́ро бу́дет экза́мен,**
スコーら ブーヂト エグザーミン

а я́ потеря́л сво́й уче́бник!
ア ヤー パチりャール スヴォーイ ウチェーブニク

A：英語の教科書、持ってない?

B：あるよ。それがどうしたの?

A：もうすぐ試験なんだけど、
自分の教科書をなくしちゃったんだよ!

この課で覚えたい語句

☐ англи́йский イギリスの ☐ до́ма 家で ☐ за́втра 明日

☐ Марии́нский теа́тр マリインスキー劇場(サンクトペテルブルクにある劇場)

☐ не́т ～がない〔述語〕 ☐ о́пера オペラ ☐ потеря́ть なくす①

☐ премье́ра プレミア、初演 ☐ сво́й 自分の ☐ ско́ро もうすぐ

※月名はp.126にまとめてあります。

1 未来形（1）存在動詞 бы́ть の場合

B-13

ロシア語では、未来のことを言う場合、動詞を未来形にします。ロシア語の未来形は、存在動詞**бы́ть**とそれ以外の動詞によって作り方が異なります。**бы́ть**の未来形は以下のとおりです。

不定形				бы́ть
未来形	単数	1人称	я́	бу́ду
		2人称	ты́	бу́дешь
		3人称	о́н	бу́дет
	複数	1人称	мы́	бу́дем
		2人称	вы́	бу́дете
		3人称	они́	бу́дут

За́втра я́ **бу́ду** до́ма.　明日、私は家にいます。

В а́вгусте о́н **бу́дет** в Москве́.
8月に彼はモスクワにいるでしょう（＝行きます）。

Когда́ **бу́дет** экза́мен?　試験はいつありますか？

до́маというのは「家で、自宅で」という場所を表す副詞です。「家」を意味する名詞**до́м**と混同しないように注意！

◆ 月名の表し方

月の名前は、それぞれ次のように言います。

1月	янва́рь	2月	февра́ль	3月	ма́рт
4月	апре́ль	5月	ма́й	6月	ию́нь
7月	ию́ль	8月	а́вгуст	9月	сентя́брь
10月	октя́брь	11月	ноя́брь	12月	дека́брь

「〜月に」は「**в** + 月名の前置格」です。

- 月名はすべて男性名詞なので、前置格は -**е** になります。
- 1月、2月と9月〜12月は、前置格になるとアクセントが語尾に移動します。

Премье́ра спекта́кля бу́дет **в сентябре́**.
劇の初演は9月にあります。

2 未来形(2) その他の動詞の場合　B-14

бы́ть 以外の動詞の未来形は、「**бы́ть** の未来形 + 動詞の不定形」という形になります。

За́втра я́ **бу́ду смотре́ть** спекта́кль в Большо́м теа́тре.
明日、私はボリショイ劇場で劇を見ます。

В декабре́ мы́ **бу́дем смотре́ть** о́перу в Мари́инском теа́тре.
12月に私たちはマリインスキー劇場でオペラを見ます。

Что́ вы́ **бу́дете пи́ть**?　何をお飲みになりますか？

人称変化させるのはбы́тьの部分だけ。бы́тьの未来形を覚えておけばいいだけなので、ラクチンですね♪

3 否定生格　B-15

「Aがない」と言うとき、ロシア語では「A」の部分を生格にします。これを「否定生格」と言います。下の2つの文を比べてみましょう。

Зде́сь е́сть теа́тр.　ここには劇場があります。

Зде́сь **не́т** теа́тра.　ここには劇場がありません。

не́тは「～がない」という意味の述語です。「いいえ」を意味するне́тとは別のものです。第13課で学んだ所有の表現でも同様です。

🔈 У меня́ е́сть маши́на.
私は車を持っています（私のところには車があります）。

🔈 У меня́ **не́т** маши́н**ы**.
私は車を**持っていません**（私のところには車が**ありません**）。

過去時制にするときは、**не́т**の部分を**не́ было**に替えます。

🔈 Зде́сь **не́ было** теа́тра.　ここには劇場が**ありませんでした**。

🔈 У меня́ **не́ было** маши́ны.
私は車を**持っていませんでした**。

主語の部分の名詞の性・数にかかわらず、**бы́ть**が過去中性形になる点に注目！　そもそも「存在しない」ので、いちばん中立的な形が選ばれているのです。

未来時制の場合は、**не́т**の部分を**не бу́дет**にします。

🔈 У на́с **не бу́дет** экза́мена.　私たちは試験が**ないでしょう**。

Перерыв ちょっと休憩

「チャレンジ！ 実践会話」ではда́ча（別荘）の話題が出てきます。「別荘」というと豪華に聞こえますが、ほとんどはちょっとしたセカンドハウスのようなもので、ロシアの、特に都市部では、да́чаが生活に根づいています。というのも、モスクワなどの都会は住宅事情が悪いので、郊外にда́чаを持ち、夏などはそこで自然に囲まれて過ごす人が多いのです。森でキノコ採りやベリー摘みをしたり、自家製菜園で野菜を育てたり、自然を存分に満喫して英気を養うのがロシア流の余暇の過ごし方。うらやましいですね！

チャレンジ！実践会話

B-16

職場で上司と部下が夏休みの予定について話しています。

Михаил : Скóро бýдет лéто.
Марúя Ивáновна, чтó вы́ бýдете дéлать лéтом в óтпуске?

Начáльник : **Я́ бýду на дáче.**
Хочý собирáть я́годы.
Тáм éсть прекрáсный лéс!
А вы́, Михаúл?

Михаил : **Я́ бýду отдыхáть дóма.**

Начáльник : Знáчит, кáк обы́чно.
Вéдь вы́ дáже на рабóте всегдá отдыхáете!

ミハイル：もうすぐ夏ですね。
マリヤ・イヴァーノヴナさん、夏休みは何をする予定ですか？

上司：**私は別荘へ行くの。**
ベリー摘みをしたいわ。
あそこはすてきな森があるのよ！
あなたは、ミハイル？

ミハイル：**私は家で休むつもりです。**

上司：つまり、いつも通りということね。
だって、あなたは職場でもいつも休憩しているんだから！

語注

вéдь だって　всегдá いつも　дáже ～でさえ　лéс 森　лéто 夏
лéтом 夏に　обы́чно ふだん、たいてい　óтпуск 休暇
прекрáсный すてきな　собирáть 集める①　я́года ベリー類

1 次の（　）内にбытьの未来形を入れましょう。

(1) В ма́рте мы́（　　　　　）в Эрмита́же.

3月に私たちはエルミタージュに行きます。

(2) За́втра в Москве́（　　　　　）плоха́я пого́да.

明日モスクワではお天気が悪いです。

(3) Где́ вы́（　　　　　）ле́том в о́тпуске?

夏休みにあなたはどちらにいらっしゃるのですか?

(4) Когда́ они́（　　　　　）на рабо́те?

彼らはいつ職場に来るの?

2 次の文を未来形に変えましょう。

(1) Я́ слу́шаю о́перу.　私はオペラを聴いています。

(2) На́ш сы́н изуча́ет англи́йский язы́к.

私たちの息子は英語を勉強しています。

(3) Мы́ говори́м по-ру́сски*.　私たちはロシア語を話します。

(4) Что́ ты́ смо́тришь?　何を見ているの?

(5) Моя́ до́чь живёт в Сиби́ри.　私の娘はシベリアに住んでいます。

＊ по-ру́сскиは「ロシア語で」を意味する副詞で、ру́сский язы́кは「ロシアの言語（=ロシア語）」。「ロシア語を勉強する」はизуча́ть ру́сский язы́кと言いますが、「ロシア語を話す／読む」などのときは、говори́ть／чита́ть по-ру́сскиと言います。「ある内容をロシア語で話す／読む」という捉え方をするので、こういう言い方になるのです。

3 次の[ ]内の語を否定生格に変えましょう。

(1) У неё не́т ( ). [па́спорт]
彼女はパスポートを持っていません。

(2) У него́ не́т ( ). [биле́т]
彼はチケットを持っていません。

(3) У меня́ не́ было ( ). [рабо́та]
私には仕事がありませんでした。

(4) Та́м не́ было ( ). [вода́]
あそこには水がありませんでした。

4 下の単語を参考にしながら、次の文をロシア語で書いてみましょう。

(1) 7月に私たちは別荘に行きます。

____

(2) 明日、私はバレエを見ます。

____

(3) 私たちにはおじさんはいません。

____

(4) 昨日、私は試験がありませんでした。

____

参考の単語

бале́т バレエ	вчера́ 昨日	да́ча 別荘	дя́дя おじさん
за́втра 明日	ию́ль 7月	смотре́ть 見る	экза́мен 試験

解答は199ページ

第15課

造格（単数）

С че́м вы́ бу́дете пи́ть ча́й?

何を入れてお茶を飲みますか？

これを学ぼう！

☐ **造格の2つの用法を覚えよう。**
☐ **造格を伴う前置詞 c（〜と一緒に）を学ぼう。**

これができる！

☐ **「〜によって」（=by）、「〜のように、〜として」（=as）という表現が使えるようになる。**
☐ **「〜と一緒に」という表現や、「〜を入れた・添えた…」という料理名が言えるようになる。**

これから学ぶこと

- 造格には、①〜によって（=by）、②〜のように、〜として（=as）という2つの用法があります。→ ❶
- 名詞の造格の語尾は、男性・中性名詞が **-ом** / **-ем**、女性名詞は **-ой** / **-ей** / **-ью** になります。→ ❶
- 造格を伴う前置詞 c は「〜と一緒に、〜を入れた・添えた」を意味します。→ ❷
- 形容詞の造格の語尾は、男性形・中性形が **-ом** / **-ем**、女性形が **-ой** / **-ей**（女性形生格・与格・前置格と同じ）です。→ ❸

実際の会話例を見てみましょう

お茶を飲む

B-17

A **С чём вы́** **бу́**дете **пи́**ть

スチェーム ヴィー ブーヂチェ ピーチ

ча́й?

チャーイ

B **С лимо́ном и са́харом,**

スリモーナム イ サーはらム

пожа́луйста.

パジャールスタ

A：何を入れてお茶を飲みますか?

B：レモンと砂糖でお願いします。

この課で覚えたい語句

- ☐ авиапо́чта 航空便
- ☐ го́д 年
- ☐ лете́ть 飛ぶ②
- ☐ лимо́н レモン
- ☐ мя́со 肉
- ☐ пожа́луйста どうぞお願いします
- ☐ посла́ть 送る〔不規則〕
- ☐ ры́ба 魚
- ☐ с [+造格]〜と一緒に、〜を入れて・添えて(= with)
- ☐ са́хар 砂糖
- ☐ спо́рт スポーツ
- ☐ стрела́ 矢
- ☐ сы́р チーズ
- ☐ хле́б パン

この課のポイント

1 名詞の造格（単数）

B-18

造格には2つの用法があります。

①～によって（手段、道具）（= by）
②～のように、～として（= as）

造格（単数）の形は以下のとおりです。

男性名詞				
単数	語末	-子音	-й	-ь
	主格	журна́л 雑誌	музе́й 美術館・博物館	писа́тель 作家
	造格	журна́лом	музе́ем	писа́телем

中性名詞			
単数	語末	-о	-е
	主格	письмо́ 手紙	мо́ре 海
	造格	письмо́м	мо́рем

女性名詞				
単数	語末	-а	-я	-ь
	主格	газе́та 新聞	Росси́я ロシア	тетра́дь ノート
	造格	газе́той	Росси́ей	тетра́дью

◆ ①～によって（手段、道具）（=by）

О́н живёт спо́ртом.

彼はスポーツが生きがいです（＝スポーツによって生きている）。(> спо́рт)

Я́ хочу́ посла́ть письмо́ авиапо́чтой.

私は航空便で手紙を送りたいです。(> авиапо́чта)

◆ ②～のように、～として（=as）

Óн рабóтает **врачóм.**

彼は医師として働いています。（> врáч）

Врéмя летúт **стрелóй.**

時間は矢のように飛びます（=光陰矢のごとし）。（> стрелá）

2 前置詞 c と人称代名詞の造格

B-19

前置詞 **с** は「～と一緒に、～を入れて・添えて（= with）」の意味で、造格を伴います。

Я́ хочý кóфе **с молокóм.**

私はカフェオレ（=牛乳入りのコーヒー）が欲しいです。（> молокó）

前置詞 **с** を疑問詞 **ктó**（誰）、**чтó**（何）や、人称代名詞と組み合わせてみましょう。

◆ 疑問詞の造格

主格	ктó	чтó
造格	**кéм**	**чéм**

С кéм вы́ живёте?　誰と一緒にお住まいですか？

С чéм ты́ хóчешь пúть чáй?　何を入れてお茶を飲みたい？

◆ 人称代名詞の造格

<table>
<tr><td>主格</td><td>я́</td><td>ты́</td><td>óн</td><td>онó</td><td>онá</td><td>мы́</td><td>вы́</td><td>онú</td></tr>
<tr><td>造格</td><td>мнóй</td><td>тобóй</td><td colspan="2">и́м
(ни́м)</td><td>éй
(нéй)</td><td>нáми</td><td>вáми</td><td>и́ми
(ни́ми)</td></tr>
</table>

※（　）内は前置格を伴うときの形です。

Вы́ не хотúте рабóтать **с нáми**?

私たちと一緒に働きたくありませんか？

🔈 О́н хо́чет жи́ть **со мно́й.** 彼は私と一緒に住みたがっている。

мно́йと組み合わさるとき、сは**со**という形になります。

❸ 形容詞の造格(単数)

🔈 B-20

形容詞の造格(単数)の形は以下のとおりです。

	硬変化			硬変化(語尾アクセント型)		
	男性形	中性形	女性形	男性形	中性形	女性形
主格	краси́вый	краси́вое	краси́вая	молодо́й	молодо́е	молода́я
造格	краси́вым		краси́вой	молоды́м		молодо́й

	軟変化		
	男性形	中性形	女性形
主格	си́ний	си́нее	си́няя
造格	си́ним		си́ней

※女性形造格は、女性形生格・与格・前置格と同じ形です。

🔈 Я́ люблю́ пи́ть ча́й **с вку́сным варе́ньем**.

私はおいしいジャムと一緒に紅茶を飲むのが好きです。(> вку́сное варе́нье)

🔈 Она́ живёт **с мла́дшей сестро́й**.

彼女は妹と一緒に住んでいます。(> мла́дшая сестра́)

◆ お祝いの表現

「〜おめでとう!」は「**С** +〔造格〕!」と言います。これは「**поздравля́ть** +〔対格〕+ **с** +〔造格〕」(〔対格〕に〔造格〕のことでお祝いを言う)の前半部分を省略した言い方です。

🔈 С днём рожде́ния! お誕生日おめでとう!

днёмは**де́нь**(日)の造格。出没母音(➡第7課❸)があり、変則的な形です。他に«**С Но́вым го́дом!**»(新年おめでとう!)などもよく使われます。

チャレンジ! 実践会話

B-21

ニコライが隣人の誕生日をお祝いします。

Никола́й : Ни́на Петро́вна, **с днём рожде́ния**!

Сосе́дка : Каки́е краси́вые цветы́!
Спаси́бо, мо́й ма́ленький!

Никола́й : Ну́, я́ уже́ не ма́ленький!

Сосе́дка : Для меня́ ты́ навсегда́ ребёнок.

Никола́й : А вы́ для меня́ – лу́чшая подру́га.
В де́тстве люби́л игра́ть с ва́ми,
а тепе́рь люблю́ пи́ть у ва́с ча́й!

ニコライ: ニーナ・ペトローヴナさん、**お誕生日おめでとうございます!**

隣人: なんてキレイな花なのかしら!
ありがとう、おチビちゃん!

ニコライ: いやあ、僕もうおチビちゃんじゃないですよ!

隣人: あたしにとっちゃ、あんたはずっと赤ちゃんさ。

ニコライ: 僕にとってあなたは最良のガールフレンドですよ。
子供の頃はあなたと遊ぶのが好きだったし、
今はお宅でお茶をいただくのが楽しみなんです!

語注

де́тство 子供時代　игра́ть 遊ぶ①　лу́чший 最良の
навсегда́ 永遠に、ずっと　ребёнок 子供、赤ちゃん　сосе́дка (女性の)隣人
тепе́рь 今は

1 次の［　］内の語を造格に変えましょう。

⑴ О́н живёт (　　　　　　). [му́зыка]
彼は音楽が生きがいです。

⑵ Мо́й му́ж рабо́тает (　　　　　　). [журнали́ст]
私の夫はジャーナリストとして働いています。

⑶ Мы́ говори́ли с (　　　　　　) о его́ кни́ге.
[писа́тель]
私たちは作家と彼の本について話しました。

⑷ Вчера́ они́ с (　　　　　　) бы́ли на вы́ставке. [Ка́тя]
昨日彼らはカーチャと展覧会に行きました。

⑸ О́н всегда́ рабо́тает с (　　　　　　). [тетра́дь]
彼はいつもノートを携えて仕事をしています。

2 次の［　］内の形容詞と名詞を造格に変えましょう。

⑴ Я́ чита́л интервью́ с (　　　　　　).
[молодо́й худо́жник]
私は若い画家のインタビューを読みました。

⑵ Журнали́ст говори́т с (　　　　　　).
[япо́нская фигури́стка]
ジャーナリストが日本の女子フィギュアスケート選手と話をしています。

⑶ Она́ жила́ с (　　　　　　). [ма́ленький сы́н]
彼女は小さな息子と暮らしていました。

⑷ О́н живёт с (　　　　　　). [люби́мая ба́бушка]
彼は愛するおばあちゃんと暮らしています。

3 次の［　］内の人称代名詞と疑問詞を造格に変えましょう。

⑴ Ты́ не хо́чешь со (　　　) пи́ть ча́й? ［я́］

僕と一緒にお茶を飲まない（飲みたくない）？

⑵ Я́ ду́маю, что́ о́н рабо́тает с (　　　). ［они́］

彼は彼らと一緒に働いているのだと思います。

⑶ Хочу́ жи́ть с (　　　). ［ты́］

君と一緒に暮らしたい。

⑷ За́втра мы́ с (　　　) бу́дем слу́шать о́перу.

［она́］

明日私は彼女とオペラを聴きます。

4 下の単語を参考に、次の料理名を«～ с+造格»という形で書いてみましょう。

⑴ 魚の入ったスープ

⑵ 黒パンを添えたボルシチ

⑶ チーズ入りのサンドイッチ

⑷ 肉入りのピロシキ

参考の単語

бо́рщ ボルシチ　мя́со 肉　пирожо́к ピロシキ

ры́ба 魚　су́п スープ　сы́р チーズ

сэ́ндвич サンドイッチ　хле́б パン　чёрный 黒い

解答は200ページ

第16課

活動体と不活動体

Вы́ по́мните Ива́на?

イワンを覚えていますか？

これを学ぼう！

- □ 活動体と不活動体の区別を学ぼう。
- □ 指示代名詞э́тот（この、その）の格変化を覚えよう。

これができる！

- □ 人や動物を表す名詞の対格が使えるようになる。
- □ 「この～」という表現が言えるようになる。

❋これから学ぶこと

- ロシア語の名詞には、人や動物を表す**活動体**と、物や植物や事を表す**不活動体**の区別があります。→ ❶
- 中性名詞と女性名詞は活動体と不活動体で変化パターンに違いはありませんが、男性名詞の活動体は、対格が生格と同じ形になります。→ ❶
- **形容詞が名詞化してできた単語**は、形容詞と同じ変化をします。→ ❶
- **-ский**で終わる名字は、「硬変化＋正書法の規則」タイプの形容詞と同じ変化をします。→ ❶
- **指示代名詞э́тот**も、形容詞と同様、修飾する名詞の性・数・格に合わせて格変化します。→ ❷

実際の会話例を見てみましょう

知り合いについて尋ねる

B-22

A **Вы́ по́мните Ива́на?**
ヴィー　ポームニチェ　イヴァーナ

Я́ слы́шал, что́ о́н ва́ш
ヤー　スルィーシャル　シュト　オーンヴァーシュ

бы́вший однокла́ссник.
ブィーフシー　アドナクラースニク

B Да́, коне́чно!
ダー　カニェーシュナ

Мы́ с ни́м и сейча́с дру́жим!
ムィー　スニーム　イ　シィチャース　ドるージム

A：イワンを覚えていますか？
彼はあなたのかつての同級生だったと聞きました。

B：ええ、もちろん！
今でも彼とは仲良くしていますよ！

この課で覚えたい語句

□ бы́вший　かつての、過去の　□ дружи́ть　仲良くする②
□ живо́тное　動物　□ однокла́ссник　同級生　□ по́мнить　覚えている②
□ уро́к　授業、レッスン、課
□ Чайко́вский　チャイコフスキー（1840-93、ロシアの作曲家）　□ э́тот　この、その

1 活動体と不活動体

🔊 B-23

ロシア語の名詞は「活動体」と「不活動体」に分けられます。

活動体　：人や動物を表す名詞
不活動体：物や植物や事を表す名詞

男性名詞の場合、活動体と不活動体では対格の形が異なります。第8課❸では「男性名詞の対格は主格と同じ形」と説明しましたが、実はこれは不活動体の場合に限ります。不活動体と活動体を順に見てみましょう。

男性名詞・不活動体				
単数	語末	-子音	-й	-ь
	主格	журна́л 雑誌	музе́й 美術館・博物館	слова́рь 辞書
	生格	журна́ла	музе́я	словаря́
	対格	журна́л	музе́й	слова́рь

男性名詞・活動体				
単数	語末	-子音	-й	-ь
	主格	студе́нт 学生	ге́ний 天才	писа́тель 作家
	生格	студе́нта	ге́ния	писа́теля
	対格	студе́нта	ге́ния	писа́теля

不活動体の対格は主格と同じ形ですが、活動体の対格は生格と同じ形です。また、それを修飾する形容詞も生格と同じ形です。

🔊 О́н зна́ет **япо́нский язы́к**. (不活動体)
彼は日本語を知っています。(> япо́нский язы́к)

🔊 О́н ви́дел **япо́нского музыка́нта**. (活動体)
彼は日本のミュージシャンを見かけました。(> япо́нский музыка́нт)

На уро́ке мы́ чита́ем **Че́хова**. (活動体)

授業で私たちは**チェーホフを**読んでいます。(> Че́хов)

Вы́ по́мните **Серге́я**? (活動体)

セルゲイを覚えていますか？(> Серге́й)

疑問詞**кто́**（誰）も対格は生格と同じ形です。**что́**（何）と比べてみましょう。

主格	кто́	что́
生格	кого́	чего́
対格	**кого́**	**что́**

Кого́ о́н лю́бит? 彼は**誰を**好きなの？

Что́ о́н лю́бит? 彼は**何を**好きなの？

中性名詞と女性名詞は、活動体も不活動体も格変化のパターンに区別はなく、活動体の対格の形は不活動体の対格と同じです。

О́н ви́дел **большо́е мо́ре**. (不活動体)

彼は**大きな海を**見ました。(> большо́е мо́ре)

О́н ви́дел **большо́е живо́тное**. (活動体)

彼は**大きな動物を**見ました。(> большо́е живо́тное)

О́н лю́бит **ру́сскую культу́ру**. (不活動体)

彼は**ロシアの文化を**愛しています。(> ру́сская культу́ра)

О́н лю́бит **ру́сскую студе́нтку**. (活動体)

彼は**ロシアの女子学生を**愛しています。(> ру́сская студе́нтка)

-а, **-я** で終わる男性名詞活動体も、女性名詞と同じく対格は**-у**, **-ю**ですが、それを修飾する形容詞は男性生格と同じ形になります。

Они́ люби́ли **до́брого дя́дю**.

彼らは**親切なおじさんのことが**好きでした。(> до́брый дя́дя)

◆ 形容詞の名詞化

前ページで出てきた**живо́тное**（動物）は**живо́тный**（動物の）という形容詞の中性形が名詞としても使われるようになってできた語です。このような単語は形容詞と同じ格変化をします。

たとえば**ру́сский**はもともと「ロシアの」という意味の形容詞ですが、「ロシア人」という名詞にもなっています。

Ру́сские лю́бят отдыха́ть на да́че.
ロシア人たちは別荘で休むのが好きです。（複数・主格）

また、**-ский**で終わるロシア人の名字も形容詞と同じように変化します。

О́н мно́го зна́ет о **Чайко́вском**.
彼は**チャイコフスキー**についてたくさん知っています。（男性・前置格）（> Чайко́вский）

2 指示代名詞 э́тот（この、その）

B-24

э́тотは「この、その」を意味する指示代名詞で、修飾する名詞に合わせて格変化します。（※変化表はp.210を参照してください。）

О́н потеря́л **э́ту кни́гу**.
彼は**この本を**なくしました。（女性・対格）

Я́ выступа́л с **э́тим музыка́нтом**.
私は**このミュージシャンと**出演しました。（男性・造格）

中性形主格・対格は**э́то**という形ですが、«Э́то кни́га.»（これは本です）と言うときのэ́то（これ）とは違うものなので注意！

Э́то но́вое сло́во.　**これ**は新しい単語です。

Э́то сло́во е́сть в словаре́.　**この単語**は辞書にあります。

チャレンジ! 実践会話

B-25

友人の噂話をしています。

Та́ня : Ко́та, ты́ зна́ешь?
Ле́на лю́бит Алекса́ндра,
а Алекса́ндр лю́бит Ната́шу.

Ко́та : Пра́вда? А Ната́ша?
Кого́ она́ лю́бит?

Та́ня : Она́ лю́бит Алекса́ндра, то́лько не э́того Алекса́ндра, а **изве́стного актёра Алекса́ндра Кузнецо́ва**!

Ко́та : О́, бо́же!

ターニャ : ねえコウタ、知ってる?
レーナはアレクサンドルが好きだけど、
アレクサンドルはナターシャが好きなんだよ。

コウタ : 本当? じゃあナターシャは?
彼女は誰が好きなの?

ターニャ : 彼女はアレクサンドルが好きなの、ただしそのアレクサンドルじゃなくて、
有名な俳優のアレクサンドル・クズネツォフ*なの!

コウタ : やれやれ、まったく!

*アレクサンドル・クズネツォフ(Алекса́ндр Кузнецо́в, 1992-):ロシアの俳優。«Кислота́»(邦題『カリーナ、恋人の妹』)、«Ле́то»(邦題『LETO-レト』)などに出演。

語注

актёр (男性の)俳優　бо́же おやまあ、ええっ! (=бо́же мо́й)　изве́стный 有名な(※т は発音せず、「イズヴィエースヌィ」と読みます。)

1 次の[　　]内の語を適切な形の対格に変えましょう。

(1) Ва́ша до́чь лю́бит (　　　　　　　) и́ли (　　　　　　　)?
[Михаи́л / Никола́й]
あなたの娘さんはミハイルを好きなのですか、それともニコライですか?

(2) Мы́ лю́бим (　　　　　) и (　　　　　).[па́па / ма́ма]
私たちはお父さんとお母さんが好きです。

(3) Вы́ по́мните её (　　　　　　　　)?[ста́рший бра́т]
あなたは彼女のお兄さんを覚えていますか?

(4) Я́ чита́ю (　　　　　　　　).[ру́сский журна́л]
私はロシアの雑誌を読んでいます。

(5) Та́м о́н ви́дел (　　　　　　　　).[ру́сский писа́тель]
そこで彼はロシアの作家を見かけました。

2 次の[　　]内の語を適切な形に格変化させましょう。

(1) В (　　　　　　　　) е́сть прекра́сный музе́й.
[э́тот го́род]
この町にはすてきな美術館があります。

(2) Она́ лю́бит (　　　　　　　　).[э́тот актёр]
彼女はこの俳優が好きです。

(3) У (　　　　　　　　) бы́ли хоро́шие подру́ги.
[э́та студе́нтка]
この女子学生には良い友人たちがいました。

(4) Вы́ то́же лю́бите (　　　　　　　　)?
[э́та фигури́стка]
あなたもこの女子フィギュアスケート選手が好きなのですか?

3 格変化（単数）のまとめ問題です。次の［　　］内の形容詞と名詞を適切な形に格変化させましょう。

(1) Я́ посла́л пода́рок（　　　　　　）.［ста́рый дру́г］
私は古くからの友人にプレゼントを送りました。

(2) Мы́ давно́ дру́жим с（　　　　　　）.
［до́брая сосе́дка］
私たちは親切な隣人女性と長いこと仲良くしています。

(3) У на́с до́ма е́сть карти́на（　　　　　　）.
［ру́сский худо́жник］
私たちの家にはロシアの画家の絵があります。

(4) Они́ рабо́тали в（　　　　　　）.［хоро́шая шко́ла］
彼らは良い学校で働いていました。

(5) О́н выступа́л вме́сте с（　　　　　　）.
［молодо́й актёр］
彼は若い俳優と一緒に出演しました。

(6) Что́ вы́ подари́ли（　　　　　　）.
［мла́дшая сестра́］
彼は妹に何をプレゼントしたのですか?

(7) Ско́ро бу́дет премье́ра（　　　　　　）.
［но́вая о́пера］
もうすぐ新しいオペラの初演があります。

(8) Я́ изуча́ю исто́рию в（　　　　　　）.
［япо́нский университе́т］
私は日本の大学で歴史を勉強しています。

解答は200ページ

第17課

動詞の体と時制

Вы́ чита́ли Толсто́го?

トルストイを読んだことがありますか？

これを学ぼう！

- □ **動詞の完了体と不完了体の違いを学ぼう。**
- □ **動詞の体と時制の関係を理解しよう。**

これができる！

- □ **「進行」「継続」「反復」「経験」「動作の完結」など、さまざまなニュアンスを動詞を使い分けて言い表せるようになる。**
- □ **ロシア語の過去・現在・未来の表現のしかたの基本を身につけられる。**

これから学ぶこと

- ロシア語の動詞には完了体と不完了体の区別があります。→ 1
- 完了体は「完了させた1回の動作」を表し、不完了体は「進行」「継続」「反復」「経験」などを表します。→ 1
- 完了体には現在形がなく、人称変化させたもの（主語の人称に合わせて変化させた形）がそのまま未来形となります。→ 2
- 前置詞**в**, **с**, **о**は後に続く単語によっては**во**, **со**, **об**という形になることがあります。→ 3

実際の会話例を見てみましょう

読書について

B-26

A **Вы́ чита́ли Толсто́го?**
ヴィー　チターリ　タルストーヴァ

B Да́. Я́ уже́ прочита́ла «А́нну
ダー　ヤー　ウジェー　プらチターラ　アーンヌ

Каре́нину» и «Войну́ и ми́р».
カりェーニヌ　イ　ヴァイヌー　イ　ミーる

A：トルスト イ*を読んだことがありますか?

B：はい。私はもう『アンナ・カレーニナ』と
『戦争と平和』を読んでしまいました。

＊トルストイ（Ле́в Никола́евич Толсто́й, 1828 - 1910）：世界的に名高いロシアの文豪・思想家。なおТолсто́йは硬変化（語尾アクセント型）の形容詞と同じ格変化をします。

この課で覚えたい語句

- ☐ Владивосто́к　ウラジオストク　☐ война́　戦争　☐ дари́ть　プレゼントする〔不完〕②
- ☐ до́лго　長い間、ずっと　☐ ка́ждый　毎～、それぞれの～（= every）
- ☐ ми́р　平和、世界　☐ наконе́ц　ついに、とうとう　☐ покупа́ть　買う〔不完〕①
- ☐ посмотре́ть　見る〔完〕②　☐ постро́ить　建てる〔完〕②
- ☐ прочита́ть　読む、読書する〔完〕①　☐ сде́лать　する〔完〕①
- ☐ Толсто́й　トルストイ　☐ хлы́нуть　ほとばしり出る、どっと流れ出す〔完〕〔不規則〕

この課のポイント

1 動詞の体

B-27

ロシア語の動詞には「体(たい)」による区別があります。

- すべての動詞は「不完了体」か「完了体」のいずれかに属します。
- 多くの動詞は「不完了体」と「完了体」でペアを組みます。
- 形はそれぞれのペアによって違うので、一つ一つ覚える必要があります。

体のペアの例

意味	不完了体	完了体
読む、読書する	чита́ть	прочита́ть
見る	смотре́ть	посмотре́ть
プレゼントする	дари́ть	подари́ть
建てる	стро́ить	постро́ить
する	де́лать	сде́лать
買う	покупа́ть	купи́ть

◆ 不完了体の用法

不完了体は文脈によっていろいろな意味になります。

①進行中の動作

Сейча́с я́ **чита́ю** э́ту кни́гу.

今私はこの本を読んでいます。

②継続する動作

Вчера́ я́ до́лго **чита́ла** э́ту кни́гу.

昨日私は長い間この本を読みました。

③反復

Ка́ждый де́нь я́ **чита́ю** э́ту кни́гу.

毎日私はこの本を読みます。

④経験（過去のみ）

Вы́ **чита́ли** э́ту кни́гу?

あなたはこの本を**読んだことがあり**ますか？

⑤動作それ自体

Я́ люблю́ **чита́ть** япо́нские кни́ги.

私は日本の本を**読むこと**が好きです。

◆ 完了体の用法

完了体は「動作を１回完了させたこと」を表します。

Я́ до́лго чита́ла э́ту кни́гу, и наконе́ц **прочита́ла** её.

私は長い間この本を読み続け、そしてとうとうそれを**読み終え**ました。

– Ты́ уже́ **сде́лал** дома́шнее зада́ние?

「もう宿題は**済ませた**の？」

– Ещё не́т. Сейча́с де́лаю.

「ううん、まだ。今やってるところ」

◆ 体のペアを組まない動詞

多くの動詞は不完了体と完了体でペアを組みますが、動詞の意味によってはペアを組まず、片方の体の動詞しか存在しないものもあります。

不完了体しかない動詞の例
зна́ть（知っている）、**жи́ть**（生きている、住んでいる）、**по́мнить**（覚えている） ➡ 状態を意味するので、動作の完了を表すことができない。
完了体しかない動詞の例
хлы́нуть（ほとばしり出る、どっと流れ出す） ➡ 流れ出たその一瞬を指すので、進行や継続や反復の意味を表すことができない。

2 動詞の体と時制

B-28

動詞の体と時制の関係を整理してみましょう。次ページの表にまとめました。

時制	不完了体	完了体
過去	Óн читáл. 彼は読んでいた。(進行) 彼は読み続けた。(継続) 彼は(繰り返し)読んだ。(反復) 彼は読んだことがある。(経験)	Óн прочитáл. 彼は読み終えた。(完了)
現在	Óн читáет. 彼は読んでいる。(進行) 彼は読み続けている。(継続) 彼は(繰り返し)読む。(反復)	
未来	Óн бýдет читáть. 彼は読んでいるだろう。(進行) 彼は読み続けるだろう。(継続) 彼は(繰り返し)読むだろう。(反復)	Óн прочитáет. 彼は読み終えるだろう。(完了)

- 完了体には現在時制はありません。
- 第14課で学んだ未来形の作り方（**бы́ть**の未来形＋動詞不定形）は不完了体動詞の場合のみで、完了体動詞の場合は人称変化をした形がそのまま未来形になります。

Зáвтра я́ **сдéлаю** домáшнее задáние.（完了体）
明日私は宿題を**済ませるつもり**です。

В мáрте мы́ **подáрим** éй цветы́.（完了体）
3月に私たちは彼女に花を**贈るつもり**です。

3 前置詞の変形

B-29

前置詞**в**（～で、の中で）、**с**（～と一緒に）は、子音が連続する語の前では**во**, **со**という形になることがあります。

во Владивостóке　ウラジオストクで

со студéнтом　学生と一緒に

о（～について）は**е**, **ё**, **ю**, **я**以外の母音の前で**об**という形になります。

об э́том актёре　この俳優について

チャレンジ! 実践会話

🔊 B-30

お母さんが女の子に問いただします。

Ма́ма : Ка́тя, что́ ты́ де́лаешь?
Ты́ уже́ сде́лала дома́шнее зада́ние?

Ка́тя : Да́, коне́чно!

Ма́ма : Тогда́ почему́ не́т тетра́ди?
Наве́рное, ты́ забы́ла её в шко́ле.
А ка́к же ты́ де́лала дома́шнее зада́ние без тетра́ди!?

Ка́тя : Стра́нно... мо́жет бы́ть, **я́ де́лала дома́шку во сне́?**

ママ : カーチャ、あんた何してるの?
もう宿題は済ませたの?

カーチャ : うん、もちろん!

ママ : それじゃあどうしてノートがないの?
たぶん学校に忘れてきたんでしょ。
ノートなしでどうやって宿題をしたっていうの!?

カーチャ : おかしいなあ…もしかすると、
私、夢の中で宿題をしてたのかな?

語注

без [+生格]〜なしで

во сне́ 夢の中で(※сне́はсо́н「夢、眠り」の単数前置格。出没母音〔➡第7課❸〕があり、格変化するとоが脱落します。)　дома́шка 〔口語〕宿題　забы́ть 忘れる〔完〕〔不規則〕

мо́жет бы́ть もしかすると　стра́нно 変だ、不思議だ

тогда́ そのとき、それなら(= then)

1 日本語訳に合うように、次の（　）内の動詞のうち適切なほうを選びましょう。

※いずれも左が不完了体、右が完了体です。

⑴ Я́ иногда́（смотрю́ / посмотрю́）бале́т.
私は時々バレエを見ます。

⑵ Она́ обы́чно（покупа́ет / ку́пит）мя́со в э́том магази́не. 彼女は普段この店でお肉を買います。

⑶ Вы́ уже́（покупа́ли / купи́ли）хле́б и вино́?
あなたはもうパンとワインを買いましたか？

⑷ Они́ до́лго（стро́или / постро́или）э́то зда́ние, но́ ещё не（стро́или / постро́или）его́.
彼らは長い間この建物を建てていましたが、まだそれを建て終えていません。

⑸ Что́ они́ сейча́с（де́лают / сде́лают）на уро́ке?
彼らは今、授業で何をしているのですか？

⑹ Когда́ вы́（чита́ли / прочита́ли）э́ту кни́гу?
いつあなたはこの本を読み終えたのですか？

2 次の過去形の文を未来形に変えましょう。

⑴ О́н де́лал дома́шнее зада́ние. 彼は宿題をしていました。

____

⑵ О́н сде́лал дома́шнее зада́ние.
彼は宿題をやり終えました。

____

⑶ Каку́ю кни́гу ты́ чита́л? どんな本を読んでいたの？

____

(4) Я́ прочита́л «Войну́ и ми́р» Л.Н. Толсто́го.
私はL.N.トルストイの『戦争と平和』を読み終えました。

______

(5) О́н купи́л ры́бу. 彼は魚を買いました。

______

(6) Мы́ покупа́ли я́годы в э́том магази́не.
私たちはこの店でベリー類を買っていました。

______

3 次の動詞と体のペアを組む動詞は何ですか？ 空欄を埋めましょう。

		〔不完〕		〔完〕
(1)	読む	〔不完〕	______	〔完〕 прочита́ть
(2)	する	〔不完〕	______	〔完〕 сде́лать
(3)	買う	〔不完〕	покупа́ть	〔完〕 ______
(4)	見る	〔不完〕	______	〔完〕 посмотре́ть
(5)	プレゼントする	〔不完〕	дари́ть	〔完〕 ______

4 次の［　］内の語を適切な形に格変化させましょう。

(1) во (　　　　　　) ［Влади́мир］
ウラジーミル（モスクワの北東にある古都）で

(2) со (　　　　　　) ［ста́рший бра́т］ 兄と一緒に

(3) об (　　　　　　) ［экза́мен］ 試験について

(4) об (　　　　　　) ［э́тот вопро́с］ この問題について

解答は200ページ

第18課

無人称文

Мне́ мо́жно уже́ отдыха́ть?

私はもう休んでもいいですか？

これを学ぼう！

☐ **無人称文の使い方を覚えよう。**

☐ **よく使う無人称述語 мо́жно, нельзя́, ну́жно, на́до を覚えよう。**

これができる！

☐ **「暑い」「寒い」「おもしろい」など、寒暖や気分を表す表現が言えるようになる。**

☐ **「～できる」「～してもよい」「～しなくてはいけない」「～してはいけない」「～できない」という言い方が使えるようになる。**

これから学ぶこと

- 主語が省略されているのではなく、そもそも主語のない形式の文を**無人称文**と言います。→ 1
- 無人称文は、寒暖などの自然現象や気分、状態などを漠然と表すときに使われます。→ 1 2
- 無人称文には文法上の主語はありませんが、「誰にとって」そのような状態なのか、という「意味上の主語」は与格で示されます。→ 1
- よく使われる無人称述語には、**мо́жно**（～できる、してもよい）、**нельзя́**（～できない、してはいけない）、**ну́жно**（～しなくてはならない）、**на́до**（～しなくてはならない）などがあります。→ 3

実際の会話例を見てみましょう

許可を求める

B-31

A **Мне́ мо́жно уже́ отдыха́ть?**
ムニェー モージュナ ウジェー アッディはーチ

B Не́т, нельзя́.
ニェート ニリジャー

Ва́м ещё ну́жно рабо́тать!
ヴァーム イッショー ヌージュナ らボータチ

A：私はもう休んでもいいですか?

B：いいえ、いけません。

あなたはまだ働かなくてはなりません!

この課で覚えたい語句

- вку́сно おいしい
- жа́ркий 暑い〔形容詞〕
- жа́рко 暑い〔無人称述語〕
- зимо́й 冬に
- интере́сный おもしろい
- мо́жно ～できる、してもよい
- на́до ～しなくてはならない
- нельзя́ ～できない、してはいけない
- ну́жно ～しなくてはならない
- хо́лодно 寒い〔無人称述語〕
- холо́дный 寒い〔形容詞〕

この課のポイント

1 無人称文

B-32

「無人称文」とは、（主語が省略されているのではなく）そもそも主語のない形式の文のことです。寒暖などの自然現象や気分、状態などを漠然と表すとき、無人称文を使います。

Сего́дня **жа́рко.** 今日は暑いです。

Зимо́й в Москве́ **хо́лодно.** 冬にはモスクワは寒いです。

- こういう場合、英語では形式主語itを使って «It is hot today.»（今日は暑いです）のように言いますが、ロシア語では主語がなくても文を作ることができます。
- 上の例文はどちらも主語がなく、**жа́рко**（暑い）と**хо́лодно**（寒い）が、主語を必要としない「無人称述語」として用いられています。
- **сего́дня**（今日）や**зимо́й**（冬に）は時を表す副詞です。主語ではないので注意！

◆「意味上の主語」の表し方

無人称文で表される状態が「誰にとって」なのかを示したい場合は与格を用います。

Мне́ жа́рко. 私は暑いです。（私には暑いです）

Ва́м хо́лодно? あなたは寒いですか？（あなたには寒いですか？）

この与格の部分を「意味上の主語」とも呼びます。ただし、文法的にはあくまで主語はありません。「私は暑いです」といった和訳になっているとそれが主語のように見えるので注意！

◆ 無人称文の過去時制、未来時制

無人称文を過去形にするときは**бы́ло**を、未来形にするときは**бу́дет**を加えます。

Мне́ **бы́ло** жа́рко.　私は暑かったです。

Зимо́й в Москве́ **бу́дет** хо́лодно.
冬にはモスクワは寒くなるでしょう。

◆ 無人称述語の作り方

無人称述語は形容詞から作られるものが多くあります。よく使われるものをまとめてみましょう。

意味	無人称述語	元になった形容詞
暑い	жа́рко	жа́ркий
寒い	хо́лодно	холо́дный
おもしろい	интере́сно	интере́сный
おいしい	вку́сно	вку́сный
すばらしい	прекра́сно	прекра́сный
良い	хорошо́	хоро́ший

形容詞由来の無人称述語は、副詞としても使われます。混乱しないように注意！

Мне́ зде́сь **хорошо́**.　私はここで居心地がよいです。（無人称述語）

О́н говори́т по-ру́сски **хорошо́**.
彼はロシア語を上手に話します。（動詞говори́тを修飾する副詞）

2 「～するのは…だ」　B-33

無人称述語に動詞不定形を組み合わせると「～するのは…だ」という意味の構文になります。

Та́м **хорошо́ жи́ть** ле́том.　あそこは夏に住むのによいです。

この場合も「意味上の主語」は与格で表します。

Мне́ интере́сно изуча́ть ру́сский язы́к!
ロシア語を勉強するのは私にはおもしろいです！

3 よく使われる無人称述語 мо́жно, нельзя́, ну́жно, на́до

B-34

形容詞由来のもの以外にも無人称述語はあります。よく使われるものを覚えましょう。

мо́жно 〜できる、してもよい（可能、許可）
нельзя́ 〜できない、してはいけない（不可能、禁止）
ну́жно 〜しなくてはならない（必要）
на́до 〜しなくてはならない（必要）

Зде́сь **мо́жно** игра́ть? ここで遊んでもいいですか？

Ва́м **нельзя́** рабо́тать. あなたは働いてはいけません。

На́м **ну́жно** говори́ть по-ру́сски.
私たちはロシア語を話さなくてはいけません。

Тебе́ **на́до** сде́лать дома́шнее зада́ние.
お前は宿題を終えないといけないよ。

ну́жно と **на́до** はほぼ同じ意味で言い換え可能なことが多いですが、否定形の **не ну́жно** は「〜する必要はない」、**не на́до** は文脈によって「〜してはいけない」「〜する必要はない」という意味になります。

Перерыв ちょっと休憩

右ページの「チャレンジ！ 実践会話」にはジョージアの郷土料理ハチャプリが出てきます。ロシアとジョージアは歴史的に関係が深いので、ロシアでもジョージア料理は大人気！ ハチャプリの他にはヒンカリ（ジョージア風小籠包）やロビオ（豆料理）、シュクメルリ（鶏のニンニク風味クリーム煮）、ハルチョー（香辛料のきいたスープ）、シャシリク（肉の串焼き）などなど、おいしい料理がたくさんあります。そして何と言ってもジョージアワイン！ ジョージアの豊かな陽光と土地に育まれたワインは濃厚で絶品です。日本でももっと広まってほしいですね！

チャレンジ！実践会話

B-35

ジョージア料理のレストランで。

Та́ня : **О́й, ка́к вку́сно!**

Мо́жно заказа́ть и хачапу́ри?

Ко́та : Да́, пожа́луйста.

А я́ хочу́ немно́го вы́пить.

Мо́жно заказа́ть бока́л кра́сного вина́?

Та́ня : **Не́т, нельзя́!**

Ко́та : Почему́!?

Та́ня : Потому́ что я́ то́же хочу́!

Дава́й зака́жем буты́лку, а не бока́л!

ターニャ：わあ、おいしい！

ハチャプリも頼んでもいいかな？

コウタ：うん、どうぞ。

僕は少し飲みたいな。

赤ワインのグラスを頼んでもいい？

ターニャ：**ううん、ダメ！**

コウタ：どうして！？

ターニャ：私も飲みたいから！

グラスじゃなくてボトルを注文しようよ！

語注

а не ~　～ではなく　　бока́л　ワイングラス　　буты́лка　ボトル

вы́пить　飲む、(酒を)飲む〔完〕〔不規則〕　　заказа́ть　注文する〔完〕〔不規則〕

немно́го　少し　　хачапу́ри　ハチャプリ〔不変化〕(ジョージアの郷土料理で、チーズをくるんだり、のせたりして焼いたパイの一種)

1 [　　]内の形容詞を無人称述語に変えましょう。

(1) У ва́с всегда́ (　　　　　　)! [вку́сный]

あなたのところではいつもおいしいですね!

(2) (　　　　　　) смотре́ть бале́т. [интере́сный]

バレエを見るのはおもしろいです。

(3) Рабо́тать зде́сь (　　　　　　). [хоро́ший]

ここで働くのはよいです。

(4) Отдыха́ть та́м (　　　　　　)! [прекра́сный]

あそこで休養するのはすばらしいです!

2 [　　]内の語を適切な形に変えましょう。

(1) (　　　　) хо́лодно? [ты́]

君、寒いの?

(2) (　　　　) зде́сь жа́рко. [я́]

私にはここは暑いです。

(3) (　　　　) хорошо́ рабо́тать с ни́ми? [о́н]

彼らと一緒に働くのは彼には居心地いいの?

(4) Зимо́й (　　　　) хо́лодно. [бы́ть]

冬は寒かったです。

(5) В ию́ле (　　　　) жа́рко. [бы́ть]

7月には暑くなるでしょう。

3 日本語訳に合うように、次の（　　）内に**мóжно, нельзя́, нýжно**のうち適切なものを入れましょう。

(1) （　　　）работать кáждый дéнь.
毎日働いてはいけません。

(2) （　　　）прочитáть э́ту кни́гу сегóдня.
この本を今日読んでしまわないといけません。

(3) Гдé（　　　）посмотрéть «Лебеди́ное óзеро»?
どこで『白鳥の湖』を見られますか？

(4) Нáм（　　　）жи́ть без мýзыки.
私たちは音楽なしでは生きられません。

(5) Тепéрь（　　　）отдыхáть.
今は休んでいいですよ。

(6) Не（　　　）покупáть сы́р.
チーズを買う必要はありません。

4 朗読音声を聴いて、次の（　　）内に入るロシア語を書き取ってみましょう。 B-36

(1) （　　　　　）（　　　　　）постро́ить шкóлу.

(2) （　　　　　）заказáть бéлое（　　　　　）?

(3) （　　　　　）（　　　　　）изучáть рýсский язы́к?

(4) В декабрé（　　　　　）хóлодно.

解答は201ページ

第19課

比較級、命令形

Говори́те гро́мче и ме́дленнее!

もっと大きい声でゆっくり話してください！

これを学ぼう！

- □ 比較級の作り方を覚えよう。
- □ 動詞の命令形について学ぼう。

これができる！

- □ 「～よりも…」という比較の表現が言えるようになる。
- □ 「～してください」とお願いできるようになる。

これから学ぶこと

- ロシア語の比較級は「合成式」と「単一式」という2種類の作り方があります。→ ❶
- 合成式は形容詞や副詞の前に **бо́лее**（より～）をつけます。→ ❶
- 単一式には形容詞の語尾を **-ее** に変える規則的なものと、不規則な作り方をするものがあります。→ ❶
- 「～してください」とお願いするときは、動詞を命令形にして表します。動詞の命令形は、**ты́** に対する形と **вы́** に対する形があります。**ты́** に対する形は **-й** / **-и́** / **-ь** で、**вы́** に対する形は **-йте** / **-и́те** / **-ьте** となります。→ ❷

実際の会話例を見てみましょう

お願いする

B-37

A **Говори́те гро́мче**
ガヴァ**リー**チェ　**グろー**ムチェ

и ме́дленнее!
イ　**ミェー**ドリンニエ

Я́ пло́хо слы́шу.
ヤー　**プロー**は　**スルィー**シュ

B Хорошо́.
はら**ショー**

A：もっと大きな声でゆっくりと話してください！
私は耳が悪いんです。

B：いいですよ。

この課で覚えたい語句

- ☐ бли́же　бли́зкий（近い）の比較級
- ☐ бо́лее　より〜
- ☐ бо́льше　большо́й（大きい）の比較級
- ☐ гото́вить　準備・料理する〔不完〕②
- ☐ гро́мче　гро́мкий（声・音が大きい）の比較級
- ☐ да́льше　далёкий（遠い）の比較級
- ☐ да́ть　与える〔完〕〔不規則〕
- ☐ лу́чше　хоро́ший（良い）の比較級
- ☐ ме́дленный　遅い、ゆっくりな
- ☐ ме́ньше　ма́ленький（小さい）の比較級
- ☐ пове́рить　信じる〔完〕②
- ☐ рестора́н　レストラン
- ☐ серьёзный　真剣な、真面目な
- ☐ сказа́ть　言う、話す〔完〕〔不規則〕
- ☐ ти́ше　ти́хий（静かな）の比較級
- ☐ Третьяко́вская галере́я　トレチャコフ美術館（モスクワにある美術館）
- ☐ ху́же　плохо́й（悪い）の比較級
- ☐ че́м　〜よりも

この課のポイント

1 比較級

B-38

ロシア語の比較級には「合成式」と「単一式」の２種類があります。

◆ **合成式**

形容詞や副詞の前に**бóлее**（より～）をつけます。

Я́ хочý прочитáть **бóлее серьёзную** кни́гу.

私はもっと真面目な本を読みたいです。

Онá рабóтает **бóлее серьёзно**.

彼女はもっと真面目に働いています。

◆ **単一式**

形容詞の語尾を変化させて作ります。規則的なものと不規則なものがあります。単一式の比較級は修飾語としては使われず、述語、もしくは副詞として用いられます。

①**規則的なもの**：語尾を**-ее**にします。アクセントが移動することもあるので注意！

серьёзный 真面目な → **серьёзнее**

вкýсный おいしい → **вкуснéе**

Тепéрь онá рабóтает **серьёзнее**.

今では彼女はもっと真面目に働いています。

Э́тот бóрщ **вкуснéе**. このボルシチはもっとおいしいです。

②**不規則なもの**

よく使われる語が多いので、一つ一つ覚えていきましょう。

形容詞	比較級	形容詞	比較級
большóй 大きい	**бóльше**	грóмкий 音・声が大きい	**грóмче**
мáленький 小さい	**мéньше**	тúхий 静かな	**тúше**
хорóший 良い	**лýчше**	блúзкий 近い	**блúже**
плохóй 悪い	**хýже**	далёкий 遠い	**дáльше**

Я́ говорю́ по-англи́йски **лу́чше**.
私は英語のほうが上手に話します。

Э́тот ресторáн **бли́же**. このレストランのほうが近いです。

◆ 比較の対象の表し方

「〜よりも…」という比較の対象の表し方は2種類あります。

①比較級, **чéм** 〜

合成式でも単一式でも使えます。**чéм**の前には必ずコンマを入れます。

Вáш дóм **бóльше, чéм** нáш. あなたの家は私たちのよりも大きい。

Онá говори́ла **бóлее мéдленно, чéм** обы́чно.
彼女はいつもよりもゆっくり話した。

②比較級＋生格

単一式にしか使えません。

О́н говори́т по-рýсски **лýчше меня́**.
彼はロシア語を私より上手に話します。

Э́тот музéй **мéньше Эрмитáжа**.
この美術館はエルミタージュよりも小さいです。

2 命令形

B-39

命令形は、動詞を人称変化させたときの語幹末尾の文字によって作り方が違います。

ты́ と **вы́**、どちらに対して言うかで形が違います。

語幹末尾の文字		ты́に対する形	вы́に対する形
母音		語幹 + **-й**	語幹 + **-йте**
子音	アクセントが語尾	語幹 + **-и́**	語幹 + **-и́те**
	アクセントが語幹	語幹 + **-ь**	語幹 + **-ьте**

игра́ть　遊ぶ (я́ игра́ю, ты́ игра́ешь...)

　➡ **игра́й / игра́йте**

говори́ть　話す (я́ говорю́, ты́ говори́шь...)

　➡ **говори́ / говори́те**

пове́рить　信じる (я́ пове́рю, ты́ пове́ришь...)

　➡ **пове́рь / пове́рьте**

Игра́й со мно́й!　私と遊んで！

Говори́те гро́мче, пожа́луйста.
もっと大きい声で話してください。

пожа́луйстаは英語のpleaseに相当し、命令形に添えると丁寧な言い方になります。よく使われる命令形の表現を覚えましょう。

Да́йте мне́ ко́фе, пожа́луйста.
私にコーヒーをください。(> да́ть　与える〔完〕)

Скажи́те, пожа́луйста, где́ Третьяко́вская галере́я?
教えてください、トレチャコフ美術館はどこですか？(> сказа́ть　言う〔完〕)

сказа́тьは不規則変化（я́ **скажу́**, ты́ **ска́жешь**, о́н **ска́жет**, мы́ **ска́жем**, вы́ **ска́жете**, они́ **ска́жут**）で、命令形は**скажи́ / скажи́те**となります。

ちなみに、«**Извини́те!**»（すみません！）という表現も、実は完了体動詞**извини́ть**（許す）の命令形。ты́ に対して言うときは«**Извини́!**»です。

チャレンジ！ 実践会話

🔊 B-40

のんびり屋の部下に上司があきれています。

Нача́льник : Серге́й, вы́ опя́ть опозда́ли. Уже́ по́лдень!

Серге́й : О́й, **извини́те**, Мари́я Ива́новна.
Но́ лу́чше по́здно, че́м никогда́!

Нача́льник : (1時間後) Серге́й, вы́ уже́ отдыха́ете!?
Я́ же ва́м говори́ла, что́ у на́с сро́чная рабо́та!

Серге́й : **Не не́рвничайте**, Мари́я Ива́новна.
Ти́ше е́дешь, да́льше бу́дешь!

上司：セルゲイ、あなたはまた遅刻ね。もう正午よ！

セルゲイ：**すみません**、マリヤ・イヴァーノヴナさん。
でも、遅くても来ないよりマシ、ですよね！

上司：（１時間後）セルゲイ、あなたはまた休憩しているの!?
私たちは急ぎの仕事があるって言ったでしょう！

セルゲイ：マリヤ・イヴァーノヴナさん、**まあピリピリしないで。**
急がば回れ、ですよ！

※«Лу́чше по́здно, че́м никогда́.»は「一度もやらないより、遅くなってもやるほうがよい」という意味のことわざ。«Ти́ше е́дешь, да́льше бу́дешь.»は「より静かに行けば、より遠くまで行ける」という意味のことわざで、日本の「急がば回れ」に相当。

語注

е́дешь　е́хать(乗り物に乗って行く)〔不完〕〔不規則〕の2人称単数形(я́ е́ду, ты́ е́дешь, о́н е́дет, мы́ е́дем, вы́ е́дете, они́ е́дут)

не́рвничать　イライラする、ピリピリする〔不完〕①

никогда́　決して〜ない、一度も〜ない　　опозда́ть　遅れる〔完〕①

опя́ть　また、再び　　по́здно　遅い、遅くに(※дは発音せず、「ポーズナ」と読みます。)

по́лдень　正午、真昼[男]　　сро́чный　急ぎの

練習問題に挑戦しよう

1 次の形容詞の比較級（単一式）を書きましょう。

※(1)(2)は規則的な作り方をするもので、(3)〜(6)は不規則な作り方をするものです。

(1) краси́вый　美しい　＿＿＿＿＿＿

(2) интере́сный　おもしろい　＿＿＿＿＿＿

(3) хоро́ший　良い　＿＿＿＿＿＿

(4) большо́й　大きい　＿＿＿＿＿＿

(5) далёкий　遠い　＿＿＿＿＿＿

(6) ма́ленький　小さい　＿＿＿＿＿＿

2 比較級に気をつけながら、次の文を日本語に訳しましょう。

(1) Моя́ до́чь говори́т по-англи́йски лу́чше, че́м я́.

＿＿＿＿＿＿

(2) Ва́м на́до рабо́тать бо́лее серьёзно.

＿＿＿＿＿＿

(3) На́ш го́род краси́вее, че́м Москва́.

＿＿＿＿＿＿

(4) Э́та кни́га интере́снее, че́м учёбник.

＿＿＿＿＿＿

(5) Зде́сь ну́жно говори́ть ти́ше.

＿＿＿＿＿＿

3 日本語訳に合うように、[　　]内の語を適切な形に直しましょう。

(1) Они́ игра́ли ху́же (　　　). [мы́]

彼らは私たちよりもプレーが下手でした(下手にプレーしました)。

(2) Михаи́л зна́ет Москву́ лу́чше (　　　). [Серге́й]

ミハイルはモスクワのことをセルゲイよりもよく知っています。

(3) Она́ рабо́тает бо́льше (　　　). [я́]

彼女は私よりもたくさん働いています。

4 (　)内の人称変化を参考にしながら、次の動詞をвы́に対する命令形にしましょう。

(1) сде́лать する〔完〕① ＿＿＿＿＿＿＿＿＿＿

(я́ сде́лаю, ты́ сде́лаешь, о́н сде́лает, мы́ сде́лаем, вы́ сде́лаете, они́ сде́лают)

(2) посмотре́ть 見る〔完〕② ＿＿＿＿＿＿＿＿＿＿

(я́ посмотрю́, ты́ посмо́тришь, о́н посмо́трит, мы́ посмо́трим, вы́ посмо́трите, они́ посмо́трят)

(3) гото́вить 準備・料理する〔不完〕② ＿＿＿＿＿＿＿＿＿＿

(я́ гото́влю, ты́ гото́вишь, о́н гото́вит, мы́ гото́вим, вы́ гото́вите, они́ гото́вят)

解答は201ページ

第20課

生格（複数）、形容詞の短語尾、-ся動詞

Сего́дня я́ за́нят.

今日は忙しいんです。

これを学ぼう！

□ **複数生格の作り方を覚えよう。**
□ **形容詞の短語尾について学ぼう。**

これができる！

□ **複数のものについて「～の」「～のための」などの表現が言えるようになる。**
□ **形容詞を使って、一時的・相対的な性質を表現できるようになる。**

✲これから学ぶこと

- 名詞の**複数生格**は他の格よりも語尾のパターンが多彩です（**-ов** / **-ев** / **-ей**など）。→ ❶
- 形容詞の複数生格は**-ых** / **-их**という語尾になります。→ ❶
- 形容詞には、述語としてのみ用いられる**短語尾**という形があり、一時的・相対的な性質を表すときに使われます。→ ❷
- 動詞は普通**-ть**で終わりますが、この後ろに**-ся**が加わるものを**-ся動詞**と呼びます。→ ❸

実際の会話例を見てみましょう

カフェに誘う

B-41

A Недалеко́ е́сть хоро́шее кафе́.
ニダリ**コー** **イェー**スチ はろ**ー**シエ カ**フェー**

Та́м большо́й вы́бор вку́сных то́ртов.
ターム バリ**ショー**イ **ヴィー**バる フ**クー**スヌィふ **トー**るタフ

Не хоти́те пойти́ со мно́й?
ニは**チー**チェ パイ**チー** サム**ノー**イ

B Извини́те, но́ **сего́дня я́ за́нят.**
イズヴィ**ニー**チェ **ノ** シ**ヴォー**ドニャ **ヤー** **ザー**ニト

A：近くにすてきなカフェがあるんです。
おいしいケーキの種類がたくさんあって。
私と一緒にいかがですか?

B：すみません、でも**今日は忙しいんです。**

この課で覚えたい語句

- □ беспоко́иться 心配する〔不完〕②
- □ блю́до 皿、料理
- □ боя́ться 恐れる〔不完〕②
- □ вы́бор 選択
- □ гру́ппа グループ
- □ занима́ться 勉強する、練習する、従事する〔不完〕①
- □ за́нятый 忙しい
- □ недалеко́ 近くに
- □ осо́бенно 特に、とりわけ
- □ пойти́ 出かける〔完〕〔不規則〕
- □ соба́ка 犬
- □ стара́ться 努力する〔不完〕①
- □ улыба́ться 微笑む〔不完〕①

この課のポイント

1 生格（複数）

B-42

名詞の生格（複数）は他の格よりも語尾のパターンが多いので、整理してみましょう。

男性名詞			
語末	-子音	-й	-ь
単数・主格	журна́л 雑誌	музе́й 美術館・博物館	слова́рь 辞書
複数・生格	журна́лов	музе́ев	словаре́й

中性名詞		
語末	-о	-е
単数・主格	сло́во 単語	мо́ре 海
複数・生格	сло́в	море́й

女性名詞			
語末	-а	-я	-ь
単数・主格	газе́та 新聞	неде́ля 週	тетра́дь ノート
複数・生格	газе́т	неде́ль	тетра́дей

- **-о** と **-а** で終わるものは語尾が脱落してなくなります。これを文法用語では「ゼロ語尾」と言います。
- **-о** と **-а** で終わるものは、複数生格になると出没母音（➡第7課❸）が入ることもあります。

例 **студе́нтка**（女子大学生） ➡ **студе́нток**
письмо́（手紙） ➡ **пи́сем**

В Эрмита́же была́ гру́ппа **тури́стов**.

エルミタージュ美術館に**観光客たちの**グループがいました。(> тури́ст)

Посмотри́те фотогра́фии **соба́к**!

犬たちの写真を見てください！（> соба́ка）

形容詞の生格（複数）の語尾は**-ых**か**-их**です。

	硬変化	硬変化（語尾アクセント型）	軟変化
男性・主格	краси́вый	молодо́й	си́ний
複数・生格	краси́вых	молоды́х	си́них

正書法の規則（➡p.203）が適用されるものは以下のようになります。

	【男性・主格】		【複数・生格】
硬変化	**ру́сский**	➡	**ру́сских**
硬変化（語尾アクセント型）	**большо́й**	➡	**больши́х**

В э́той кни́ге е́сть реце́пты **ру́сских блю́д**.

この本には**ロシア料理の**レシピが載っています。（> ру́сское блю́до）

2 形容詞の短語尾

B-43

形容詞には、これまで学んできた形（長語尾）の他に、「短語尾」という形もあります。用法にも違いがあります。

長語尾（男性・主格）	短語尾			
	男性形	女性形	中性形	複数形
краси́вый	краси́в	краси́ва	краси́во	краси́вы

【長語尾】 • 修飾語としても述語としても使われる。
• 述語で使われる場合、恒常的な性質を表す。

【短語尾】 • 述語としてのみ用いられ、一時的・相対的な性質を表す。

Э́тот ле́с **краси́вый**. この森は**美しい**です。（長語尾）

Зимо́й ле́с осо́бенно **краси́в**.

冬には森はとりわけ**美しい**です。（短語尾）

アクセントが移動したり（下線で示した箇所）、男性形で出没母音（赤字で示した箇所）が生じるものもあります。

за́нятый（忙しい）

➡ **за́нят / занята́ / за́нято / за́няты**

интере́сный（おもしろい）

➡ **интере́сен / интере́сна / интере́сно / интере́сны**

3 -ся動詞

B-44

動詞は普通**-ть**で終わりますが、この後ろに**-ся**が加わるものを「**-ся**動詞」と呼びます。

		第1変化	第2変化
不定形		занима́ться 勉強する、練習する、従事する	беспоко́иться 心配する
現在形	я́	занима́юсь	беспоко́юсь
	ты́	занима́ешься	беспоко́ишься
	о́н	занима́ется	беспоко́ится
	мы́	занима́емся	беспоко́имся
	вы́	занима́етесь	беспоко́итесь
	они́	занима́ются	беспоко́ятся
過去形	男性形	занима́лся	беспоко́ился
	女性形	занима́лась	беспоко́илась
	中性形	занима́лось	беспоко́илось
	複数形	занима́лись	беспоко́ились

※つづりの**-ться**、**-тся**は「ツァ」と発音します。

現在形も過去形も、まず**-ся**のない形で変化させ（下線部）、子音で終わっていれば**-ся**を、母音で終わっていれば**-сь**を加えます。

Мы́ о́чень **беспоко́имся** о дру́ге.

私たちは友人のことをとても**心配しています**。

Вчера́ о́н мно́го **занима́лся** до́ма.

昨日、彼は家でたくさん**勉強しました**。

チャレンジ! 実践会話

B-45

ニコライがアンナを食事に誘っています。

Никола́й : Áня, **ты́ сего́дня свобо́дна?**

Áнна : Не́т, извини́.
Сего́дня мне́ на́до помо́чь сестре́
с дома́шним зада́нием. А что́?

Никола́й : **Недалеко́ откры́лся но́вый рестора́н.**
Та́м большо́й вы́бор хоро́ших ви́н.
А за́втра тебе́ удо́бно?

Áнна : Хорошо́, дава́й за́втра!

ニコライ：ねえアーニャ、**今日は暇?**

アンナ：ごめん、暇じゃない。
今日は妹の宿題を手伝わないといけないの。
で、どうしたの?

ニコライ：**近くに新しいレストランがオープンしたんだ。**
いろいろな種類のいいワインがあってさ。
じゃあ明日は都合どうかな?

アンナ：いいよ、明日にしよう!

語注

откры́ться 開く、オープンする〔完〕〔不規則〕

помо́чь ［в+前置格／с+造格］のことで［与格］を手伝う、助ける〔完〕〔不規則〕

свобо́дный 自由な、暇な　удо́бно 都合がいい〔無人称述語〕

1 次の［　］内の名詞を複数生格にしましょう。

(1) гру́ппа (　　　　　　) ［студе́нт］
学生たちのグループ

(2) фотогра́фии (　　　　　　) ［мо́ре］
海の写真

(3) цветы́ для (　　　　　　) ［подру́га］
ガールフレンドたちのための花

(4) реце́пты (　　　　　　) ［су́п］
スープのレシピ

(5) интервью́ (　　　　　　) ［ге́ний］
天才たちのインタビュー

2 次の［　］内の形容詞と名詞を複数生格にしましょう。

(1) фотогра́фии (　　　　　　) ［япо́нский го́род］
日本の町々の写真

(2) карти́ны (　　　　　　) ［изве́стный худо́жник］
有名な画家たちの絵

(3) слова́рь (　　　　　　) ［но́вое сло́во］
新語辞典

(4) интервью́ (　　　　　　) ［молодо́й писа́тель］
若い作家たちのインタビュー

(5) реце́пты (　　　　　　) ［све́жий сала́т］
フレッシュサラダのレシピ

3 次の［　］内の形容詞を適切な形の短語尾に変えましょう。

(1) Э́та кни́га (　　　　　) для меня́. ［интере́сный］
この本は私にとって興味深いです。

(2) Сего́дня вы́ (　　　　　)? ［за́нятый］
今日あなたはお忙しいですか？

(3) За́втра мы́ бу́дем (　　　　　). ［свобо́дный］
明日私たちは暇です。

(4) Тогда́ о́н ещё бы́л (　　　　　). ［молодо́й］
その頃彼はまだ若かったです。

4 次の動詞を現在形と過去形に変化させましょう。

(1) стара́ться　努力する〔不完〕①

現在形　я́ ______ ты́ ______ о́н ______
мы́ ______ вы́ ______ они́ ______
過去形　男 ______ 女 ______ 中 ______ 複 ______

(2) улыба́ться　微笑む〔不完〕①

現在形　я́ ______ ты́ ______ о́н ______
мы́ ______ вы́ ______ они́ ______
過去形　男 ______ 女 ______ 中 ______ 複 ______

(3) боя́ться　恐れる〔不完〕②

現在形　я́ ______ ты́ ______ о́н ______
мы́ ______ вы́ ______ они́ ______
過去形　男 ______ 女 ______ 中 ______ 複 ______

解答は201ページ

第21課

数字を使った表現

Девяно́сто рубле́й.

90ルーブルです。

これを学ぼう！

□ 1〜199までの数詞を覚えよう。
□ 数詞と名詞の組み合わせ方を理解しよう。

これができる！

□ 数量を表す言い方が使えるようになる。
□ 時間や値段について言ったり聞いたりできるようになる。

✻これから学ぶこと

- ロシア語の**数詞**を100まで学びます。そうすると、複数の数詞を組み合わせることで199までの数を言えるようになります。→ ❶
- 数詞と名詞を組み合わせるとき、名詞の形は数詞によって異なります。数詞「1」と組み合わさる名詞は単数主格、「2」〜「4」は単数生格、「5」以上は複数生格になります。→ ❷
- 複数の数詞を組み合わせた数詞を**合成数詞**と呼びます。合成数詞の場合、名詞の形は末尾の数詞に従います。→ ❷
- 時間、時刻は **ча́с**（時）、**мину́та**（分）を使って表します。→ ❸
- 値段について聞いたり言ったりするときは、動詞 **сто́ить**（値段が〜する）を用います。→ ❹

実際の会話例を見てみましょう

値段を尋ねる

B-46

A Ско́лько сто́ит пирожо́к
スコーリカ ストーイト ピらジョーク

с карто́шкой?
スカるトーシュカイ

B Девяно́сто рубле́й.
ヂヴィノースタ るブリェーイ

A：ジャガイモ入りのピロシキはいくらですか?

B：90ルーブルです。

この課で覚えたい語句

□ авто́бус バス　□ до́ллар ドル　□ е́вро ユーロ〔不変化〕

□ ие́на 円(日本の通貨)　□ карто́шка ジャガイモ　□ конце́рт コンサート

□ мину́та 分　□ ру́бль ルーブル(ロシアの通貨)男

□ самолёт 飛行機　□ ско́лько いくつの、どのぐらいの

□ сто́ить 値段が〜する、〜の価値がある〔不完〕②　□ ча́с 時間

※数詞はp.182、p.205にまとめてあります。

この課のポイント

1 数詞

🔈 B-47

◆ 1～20

1	[男]оди́н [中]одно́ [女]одна́	11	оди́ннадцать
2	[男・中]два́ [女]две́	12	двена́дцать
3	три́	13	трина́дцать
4	четы́ре	14	четы́рнадцать
5	пя́ть	15	пятна́дцать
6	ше́сть	16	шестна́дцать
7	се́мь	17	семна́дцать
8	во́семь	18	восемна́дцать
9	де́вять	19	девятна́дцать
10	де́сять	20	два́дцать

※「1」と「2」は、組み合わさる名詞の性別によって形が変わります（後述❷参照）。

◆ 21～199

30	три́дцать	60	шестьдеся́т	90	девяно́сто
40	со́рок	70	се́мьдесят	100	сто́
50	пятьдеся́т	80	во́семьдесят		

21～29、31～39、41～49…などは、複数の数詞を組み合わせて言います。

25 **два́дцать пя́ть**　67 **шестьдеся́т се́мь**　104 **сто́ четы́ре**
112 **сто́ двена́дцать**　199 **сто́ девяно́сто де́вять**

複数の数詞を組み合わせて作る数詞を「合成数詞」と呼びます。

2 数詞と名詞の組み合わせ方

B-48

数詞と名詞を組み合わせるとき、名詞は以下のように格変化します。

1 + 単数主格　　2～4 + 単数生格　　5以上 + 複数生格

［男］**оди́н журна́л** / ［中］**одно́ сло́во** / ［女］**одна́ газе́та**
1つの雑誌／単語／新聞

［男］**два́ журна́ла** / ［中］**два́ сло́ва** / ［女］**две́ газе́ты**
2つの雑誌／単語／新聞

четы́ре журна́ла / сло́ва / газе́ты　4つの雑誌／単語／新聞

пя́ть журна́лов / сло́в / газе́т　5つの雑誌／単語／新聞

合成数詞と組み合わせる場合、末尾の数詞（下線で示した語）に従って変化します。

два́дцать оди́н студе́нт　21人の学生（単数・主格）

два́дцать четы́ре студе́нта　24人の学生（単数・生格）

два́дцать ше́сть студе́нтов　26人の学生（複数・生格）

сто́ оди́н студе́нт　101人の学生（単数・主格）

сто́ девятна́дцать студе́нтов　119人の学生（複数・生格）

◆ 数量詞との組み合わせ方

мно́го（たくさん）、**немно́го**（少し）、**ско́лько**（どのぐらいの）などの数量を表す語（数量詞）と組み合わさる場合、数えられる名詞（可算名詞）は複数生格、数えられない名詞（不可算名詞）は単数生格になります。

мно́го кни́г　たくさんの本（可算名詞・複数生格）（> кни́га）

немно́го воды́　少しの水（不可算名詞・単数生格）（> вода́）

3 時間表現

B-49

「時・時間」は**ча́с**、「分」は**мину́та**です。これを数詞と組み合わせて時刻を表します。

два́ часа́ одна́ мину́та　2時1分

🔈 **пя́ть** **часо́в** **две** **мину́ты**　5時2分
🔈 **се́мь** **часо́в** **со́рок** **во́семь** **мину́т**　7時48分

「1時」はоди́н ча́сとなるはずですが、普通はоди́нを省略して**ча́с**と言います。

🔈 **ча́с со́рок пя́ть мину́т**　1時45分

「〜時に」と言うときは、前置詞вを前に添えます。「何時に〜？」は《**Во ско́лько** 〜》と言います。

🔈 **Во ско́лько** бу́дет конце́рт?　コンサートは**何時に**ありますか？

🔈 Спекта́кль бу́дет **в се́мь часо́в три́дцать мину́т**.
お芝居は**7時30分に**ある予定です。

4 値段の表現

🔈 B-50

値段について聞いたり言ったりするときは、動詞**сто́ить**（値段が〜する）を用います。

🔈 Ско́лько **сто́ит** биле́т?　チケットはいくらですか？

🔈 Э́то **сто́ит** сто́ пятьдеся́т рубле́й.　これは150ルーブルです。

🔈 Они́ **сто́ят** во́семьдесят два́ рубля́.
それらは82ルーブルです。

ロシアの通貨単位は**ру́бль**（ルーブル）、補助単位は**копе́йка**（コペイカ）で、1ルーブル＝100コペイカです。よく使われる通貨の単数主格・生格と複数生格の形を下にまとめておきます。

通貨名	単数・主格	単数・生格	複数・生格
ルーブル	ру́бль	рубля́	рубле́й
ドル	до́ллар	до́ллара	до́лларов
ユーロ	е́вро〔不変化〕		
円	ие́на	ие́ны	ие́н

チャレンジ！ 実践会話

🔊 B-51

第20課の続きです。待ち合わせ時間を決めています。

А́нна : **Во ско́лько встре́тимся?**

Никола́й : **В ше́сть часо́в**. Тебе́ удо́бно?

А́нна : Мо́жно попо́зже?
За́втра я́ пойду́ в зоопа́рк с сестро́й.

Никола́й : Тогда́ дава́й **в ше́сть три́дцать**.
О́коло ста́нции метро́ «Пу́шкинская».

А́нна : Хорошо́, договори́лись!

アンナ：何時に待ち合わせる？

ニコライ：6時で。どうかな？

アンナ：もうちょっと遅くてもいい？
明日は妹と動物園に行くんだよね。

ニコライ：それじゃあ6時30分にしよう。
地下鉄「プーシキンスカヤ」駅の近くで。

アンナ：オーケー、それで決まりね！

語注

в ше́сть три́дцать =в ше́сть часо́в три́дцать мину́т（※時刻を言うときにча́с、мину́таを省略することもあります。） встре́титься 会う〔完〕②

договори́ться 約束する、取り決める〔完〕②（※«Договори́лись!»は直訳すると「（私たちは）約束しました！」という意味で、待ち合わせなど何か約束をして決めたときに言う決まり文句です。）

зоопа́рк 動物園 метро́ 地下鉄〔不変化〕（※«ста́нция метро́»「地下鉄の駅」のметро́は主格と同じ形ですが単数生格です。） о́коло［+生格］ ～のそばで

пойду́ пойти́（в +［対格］へ出かける）〔完〕〔不規則〕の1人称単数（я́ пойду́, ты́ пойдёшь, о́н пойдёт, мы́ пойдём, вы́ пойдёте, они́ пойду́т）

попо́зже もう少し遅く «Пу́шкинская»「プーシキンスカヤ」駅（モスクワの中心部にある地下鉄の駅） ста́нция 駅

練習問題に挑戦しよう

1 次の数詞をロシア語で書きましょう。

(1) 33 ______

(2) 46 ______

(3) 55 ______

(4) 88 ______

(5) 99 ______

(6) 117 ______

2 次の表現をロシア語で書きましょう。

(1) 5台の路面電車（трамва́й） ______

(2) 2つのグループ（гру́ппа） ______

(3) 4本のボトル（буты́лка） ______

(4) 10機の飛行機（самолёт） ______

(5) 101匹の犬（соба́ка） ______

(6) 22台のバス（авто́бус） ______

(7) たくさんのお皿（блю́до） ______

(8) 少しのビール（пи́во） ______

3 次の時刻をロシア語で書きましょう。

(1) 1時15分

____

(2) 7時42分

____

(3) 9時10分

____

(4) 3時30分

____

4 朗読音声を聴いて、次の(　)内に入るロシア語を書き取ってみましょう。 B-52

(1) (　　　　) э́то сто́ит?

(2) Э́тот журна́л сто́ит (　　　　) (　　　　) рубле́й.

(3) (　　　　) (　　　　) (　　　　) авто́бус?

(4) Конце́рт бу́дет в (　　　　) (　　　　).

解答は202ページ

第22課

複数与格・造格・前置格、述語造格

О чём ты́ говори́л с япо́нскими студе́нтами?

日本の学生さんたちと何について話していたの？

これを学ぼう！

□ 複数与格・造格・前置格の形を覚えよう。
□ 述語造格について学ぼう。

これができる！

□ 複数の物事について、いろいろな構文で言えるようになる。
□ 「～は…だった」「～は…になるだろう」などの言い方が使えるようになる。

これから学ぶこと

- 名詞の**複数与格**は**-ам** / **-ям**、**複数造格**は**-ами** / **-ями**、**複数前置格**は**-ах** / **-ях**という語尾になります。→ ❶
- 形容詞の複数与格は**-ым** / **-им**、複数造格は**-ыми** / **-ими**、複数前置格は**-ых** / **-их**という語尾になります。→ ❷
- **бы́ть**とともに用いる述語（補語）は原則として造格になります。これを**述語造格**と呼びます。→ ❸

実際の会話例を見てみましょう

話題を確認する

B-53

A **О чём ты́ говори́л**
アチョーム　トゥイー　ガヴァリール

с япо́нскими студе́нтами?
シポーンスキミ　ストゥヂェーンタミ

B О люби́мых мультфи́льмах.
アリュビームィふ　ムリトフィーリマふ

Мы́ обожа́ем япо́нские аниме́!
ムィー　アバジャーイム　イポーンスキエ　アニメー

A：日本の学生さんたちと何について話していたの?

B：好きなアニメのことだよ。
僕たち、日本のアニメが大好きなんだ!

この課で覚えたい語句

- ☐ аниме́　アニメ〔不変化〕(※日本語からの外来語で、主に日本のアニメを指します。)
- ☐ де́вочка　少女、女の子　☐ дру́жный　［с+造格］〜と仲が良い
- ☐ заба́вный　おもしろい、おかしい、ひょうきんな　☐ мультфи́льм　アニメーション
- ☐ познако́миться　［с+造格］〜と知り合う〔完〕②
- ☐ росси́йский　(国としての)ロシアの
- ☐ сове́т　助言、アドバイス　☐ футболи́ст　サッカー選手

1 名詞の複数与格・造格・前置格

🔈B-54

名詞の複数与格・造格・前置格の形はパターンが少なくてわかりやすいので、まとめて覚えてしまいましょう。

男性名詞				
語末		**-子音**	**-й**	**-ь**
単数・主格		журна́л 雑誌	музе́й 美術館・博物館	слова́рь 辞書
複数	与格	журна́лам	музе́ям	словаря́м
	造格	журна́лами	музе́ями	словаря́ми
	前置格	журна́лах	музе́ях	словаря́х

中性名詞			
語末		**-о**	**-е**
単数・主格		сло́во 単語	мо́ре 海
複数	与格	слова́м	моря́м
	造格	слова́ми	моря́ми
	前置格	слова́х	моря́х

女性名詞				
語末		**-а**	**-я**	**-ь**
単数・主格		газе́та 新聞	неде́ля 週	тетра́дь ノート
複数	与格	газе́там	неде́лям	тетра́дям
	造格	газе́тами	неде́лями	тетра́дями
	前置格	газе́тах	неде́лях	тетра́дях

男性名詞・中性名詞・女性名詞のいずれも、複数与格の語尾は**-ам** / **-ям**、複数造格は**-ами** / **-ями**、複数前置格は**-ах** / **-ях**となります。

Я́ посла́л пода́рки **подру́гам**.

私はガールフレンドたちにプレゼントを送りました。(> подру́га)

Мы́ познако́мились **с журнали́стами**.

私たちはジャーナリストたちと知り合いました。(> журнали́ст)

Она́ смотре́ла карти́ны **в музе́ях**.

彼女はいくつかの美術館で絵を見ました。(> музе́й)

複数対格は、不活動体名詞なら複数主格と同じ形、活動体名詞（➡第16課❶）なら複数生格と同じ形です（中性名詞・女性名詞の活動体も、複数では生格＝対格になります）。

О́н зна́ет **писа́телей**.

彼は作家たちを知っています。(> писа́тель)

Я́ зна́ю его́ **подру́г**.

私は彼のガールフレンドたちを知っています。(> подру́га)

❷ 形容詞の複数与格・造格・前置格

B-55

形容詞の複数与格の語尾は**-ым** / **-им**、複数造格は**-ыми** / **-ими**、複数前置格は**-ых** / **-их**です。まとめて覚えてしまいましょう！

		硬変化	硬変化（語尾アクセント型）	軟変化
男性・主格		краси́вый	молодо́й	си́ний
複数	与格	краси́вым	молоды́м	си́ним
	造格	краси́выми	молоды́ми	си́ними
	前置格	краси́вых	молоды́х	си́них

正書法の規則（➡p.203）が適用されるものは以下のようになります。

	【男・主】		【複・与】	【複・造】	【複・前】
硬変化	**ру́сский**	➡	**ру́сским**	**ру́сскими**	**ру́сских**
硬変化（語尾アクセント型）	**большо́й**	➡	**больши́м**	**больши́ми**	**больши́х**

🔈 Тре́нер да́л сове́т **молоды́м футболи́стам**.

コーチは若いサッカー選手たちにアドバイスを与えました。(> молодо́й футболи́ст)

🔈 Они́ дружны́ **с япо́нскими писа́телями**.

彼らは日本の作家たちと仲が良いです。(> япо́нский писа́тель)

🔈 Мы́ говори́м **о росси́йских фигури́стах**.

私たちはロシアのフィギュアスケート選手たちについて話しています。

(> росси́йский фигури́ст)

росси́йскийは「(国としての) ロシアの」、**ру́сский**は「(広い意味での) ロシアの、(民族・文化・言語的に) ロシアの」を意味します。

3 述語造格

🔈 B-56

бы́тьの補語は造格になります。下の4つを比べてみましょう。

① **О́н актёр.** 彼は俳優です。【現在】
② **О́н бы́л актёром.** 彼は俳優でした。【過去】
③ **О́н бу́дет актёром.** 彼は俳優になるでしょう。【未来】
④ **О́н хо́чет бы́ть актёром.** 彼は俳優になりたがっています。【不定形】

- 現在時制ではбы́тьが省略され、述語名詞(下線部)は主格になります。
- бы́тьが省略されない過去・未来時制や、бы́тьを不定形で用いるときは、述語名詞は造格になります。
- 述語が形容詞の場合も、бы́тьが省略されないときは原則として造格になります。

🔈 О́н бы́л **до́брым**. 彼は親切でした。

🔈 Э́та де́вочка была́ **заба́вной**.

その少女はおもしろい子でした。

ただし、永続的な状態を示すときは、«**О́н бы́л мо́й сы́н.**» (彼は私の息子でした) のように主格で表されることもあります。

チャレンジ！ 実践会話

🔊 B-57

第21課の続きです。レストランにて。

Никола́й : Ты́ о́чень дружна́ с сестро́й, пра́вда?

А́нна : Да́! Она́ ужа́сно озорна́я и заба́вная де́вочка.
Когда́ она́ была́ совсе́м ма́ленькой, ча́сто рисова́ла кара́кули на сте́нах кварти́ры.

Никола́й : Здо́рово.
Кста́ти, ка́к ты́ ду́маешь – она́ не про́тив, **е́сли я́ бу́ду её... зя́тем**?

ニコライ：君は妹さんとすごく仲良しだよね？

アンナ：うん！　うちの妹、めちゃくちゃお転婆でおもしろい子なの。
すごくちっちゃかった頃は、よく家の壁に落書きしてたっけ。

ニコライ：すごいね。ちなみになんだけど、君はどう思う？
妹さんは賛成してくれるだろうか、
もし僕が彼女の…お義兄（にい）さんになるとしたら？

語注

е́сли　もし　　здо́рово　すごい〔無人称述語〕　　зя́ть　娘の夫、姉妹の夫〔男〕
кара́куля　落書き　　кварти́ра（アパート・マンションなど集合住宅の）住居
когда́　～のときに〔接続詞〕　　озорно́й　腕白な　　про́тив　反対だ〔述語〕
рисова́ть　描く〔不完〕〔不規則〕　　совсе́м　すっかり、完全に　　стена́　壁
ужа́сно　ひどく

1 次の［　］内の形容詞と名詞を複数与格に変えましょう。

(1) О́н звони́л (　　　　　　　　　　).

［бы́вший однокла́ссник］

彼はかつての同級生たちに電話しました。

(2) Она́ дала́ сове́т (　　　　　　　　　　).

［молода́я подру́га］

彼女は若い友人たちにアドバイスを与えました。

(3) Что́ вы́ сказа́ли (　　　　　　　　　　).

［япо́нский журнали́ст］

日本のジャーナリストたちに何をおっしゃったのですか?

2 次の［　］内の形容詞と名詞を複数造格に変えましょう。

(1) Где́ вы́ познако́мились с (　　　　　　　　　　)?

［ру́сская студе́нтка］

ロシアの女子学生たちとどこで知り合ったのですか?

(2) О́н бы́л дру́жен с (　　　　　　　　　　).

［тала́нтливый худо́жник］

彼は才能ある画家たちと親しくしていました。

(3) Они́ бы́ли (　　　　　　　　　　).

［хоро́ший футболи́ст］

彼らは良いサッカー選手たちでした。

3 次の[　　]内の形容詞と名詞を複数前置格に変えましょう。

(1) В (　　　　　　　　　　) Росси́и е́сть метро́?

[како́й го́род]

ロシアのどの町に地下鉄がありますか?

(2) Я́ чита́л кни́гу об (　　　　　　　　　　).

[изве́стный футболи́ст]

私は有名なサッカー選手たちについての本を読みました。

(3) Мы́ говори́ли о (　　　　　　　　　　).

[краси́вая фотогра́фия]

私たちは美しい写真について話しました。

4 次の[　　]内の語を造格に変えましょう。

(1) О́н бы́л (　　　　　　　　　　).

[хоро́ший музыка́нт]

彼は良いミュージシャンでした。

(2) На́ша ба́бушка была́ (　　　　　　　　). [до́брый]

うちのおばあちゃんは親切でした。

(3) Конце́рт бы́л (　　　　　　　　). [прекра́сный]

コンサートは素晴らしかったです。

(4) Ле́то бы́ло (　　　　　　　　). [жа́ркий]

夏は暑かったです。

(5) Мультфи́льм бы́л (　　　　　　　　). [интере́сный]

アニメはおもしろかったです。

解答は202ページ

練習問題に挑戦しよう〈解答〉（ロシア語作文は解答例です）

第1課

1 (1) Э́то ко́фе. (2) Э́то вода́. (3) Э́то вхо́д. (4) Э́то вы́ход?
(5) Э́то журна́л? (6) Ви́ктор фигури́ст?

2 (1) Ми́ша не студе́нт. (2) Э́то не ча́й. (3) Ви́ктор не журнали́ст.

3 (1) Где́ метро́? (2) Где́ во́дка? (3) Где́ о́фис? (4) Где́ журна́л?

4 (1) Где́ туале́т? トイレはどこですか? (2) Спаси́бо. ありがとう。
(3) Да́. はい。 (4) Не́т. いいえ。 (5) Э́то ча́й. これはお茶です。
(6) Э́то ча́й? これはお茶ですか?

第2課

1 (1) они́ (2) она́ (3) Мы́ (4) Я́ (5) О́н (6) Ты́ (7) Вы́

2 (1) Кто́ э́то? (2) Что́ э́то? (3) Кто́ э́то? (4) Что́ э́то? (5) Что́ э́то?

3 (1) Кто́ (2) что́ (3) А (4) па́па

4 (1) Что́ э́то? これは何ですか? (2) Кто́ она́? 彼女は何をしている人ですか?
(3) Где́ они́? 彼ら（それら）はどこですか? (4) А э́то? ではこれは?
(5) Я́ студе́нт. 私は学生です。 (6) Интере́сно! おもしろいですね!

第3課

1 (1) (я́) зна́ю, (ты́) зна́ешь, (о́н) зна́ет, (мы́) зна́ем, (вы́) зна́ете,
(они́) зна́ют
(2) (я́) чита́ю, (ты́) чита́ешь, (о́н) чита́ет, (мы́) чита́ем, (вы́)
чита́ете, (они́) чита́ют
(3) (я́) понима́ю, (ты́) понима́ешь, (о́н) понима́ет, (мы́) понима́ем,
(вы́) понима́ете, (они́) понима́ют

2 (1) зна́ю (2) понима́ете (3) рабо́тают (4) де́лаешь (5) за́втракаем
(6) отдыха́ет

3 (1) Где́ вы́ рабо́таете? (2) Я́ не понима́ю. (3) Когда́ они́ гуля́ют?
(4) Что́ ты́ чита́ешь?

4 (1) де́лаете, чита́ю（和訳:「イワン・セルゲーヴィチさん、あなたは今何をしていらっしゃるのですか?」「私は雑誌を読んでいるんです」）
(2) зна́ешь, рабо́тает, зна́ю（和訳:「サーシャ、アンナがどこで働いているのか知らないかい?」「知らないな」）

第4課

1 (1) 女性 (2) 男性 (3) 男性 (4) 中性 (5) 女性 (6) 中性 (7) 男性 (8) 女性

2 (1) фòтоальбóмы (2) мáмы (3) тёти (4) словарѝ (5) задáния (6) пѝсьма (7) музéи

3 (1) игрýшки (2) кнѝги (3) врачѝ (4) бáбушки

4 (1) моя́ (2) моё (3) твóй (4) твоё (5) нáше (6) нáши (7) вáши (8) вáш

第5課

1 (1) нóвый, нóвое, нóвая, нóвые (2) дóбрый, дóброе, дóбрая, дóбрые

2 (1) америкáнские (2) Япóнское (3) рýсская (4) рýсский

3 (1) нóвая (2) стáрые (3) красѝвая (4) дóбрый

4 (1) Дóброе ýтро! おはよう! (2) Дóбрый дéнь! こんにちは!
(3) До свидáния! さようなら! (4) Э́то мои́ люби́мые музыкáнты. これは私の好きなミュージシャンたちです。

第6課

1 (1) молодóй, молодóе, молодáя, молоды́е (2) голубóй, голубóе, голубáя, голубы́е

2 (1) большóй (2) большáя (3) плохóе (4) плохѝе (5) какáя (6) какѝе

3 (1) (я́) стрóю, (ты́) стрóишь, (óн) стрóит, (мы́) стрóим, (вы́) стрóите, (они́) стрóят
(2) (я́) стою́, (ты́) стои́шь, (óн) стои́т, (мы́) стои́м, (вы́) стои́те, (они́) стоя́т

4 (1) говори́те (2) говорю́ (3) смóтрим (4) смóтрят

第7課

1 (1) домáшний, домáшнее, домáшняя, домáшние (2) горя́чий, горя́чее, горя́чая, горя́чие [※女性形で正書法の規則が適用されます。]

2 (1) хорóшая погóда (2) си́нее плáтье (3) свéжее молокó (4) хорóший дéнь (5) си́ний учéбник

3 (1) слýшал, слýшала, слýшало, слýшали (2) зáвтракал, зáвтракала, зáвтракало, зáвтракали
(3) стрóил, стрóила, стрóило, стрóили (4) стоя́л, стоя́ла, стоя́ло, стоя́ли

4 (1) На́ши де́душка и ба́бушка хорошо́ говори́ли по-англи́йски.
(2) Что́ смотре́ли журнали́сты?

第8課

1 (1) газе́ту (2) слова́рь (3) исто́рию (4) вино́ (5) теа́тры
(6) пирожки́

2 (1) Каку́ю кни́гу (2) дома́шнее зада́ние (3) ру́сский язы́к
(4) чёрную икру́ (5) хоро́шую маши́ну (6) све́жие сала́ты

3 (1) люблю́ (2) лю́бишь (3) лю́бим (4) лю́бите (5) люби́л

4 (1) Почему́ вы́ изуча́ете ру́сский язы́к? (2) Потому́ что я́ люблю́ ру́сскую исто́рию. (3) Каку́ю му́зыку ты́ лю́бишь? (4) Я́ люблю́ япо́нскую му́зыку.

第9課

1 (1) его́ (2) ва́с (3) меня́ (4) и́х (5) на́с (6) тебя́

2 (1) 彼女のお母さんは彼らをよく知っています。 (2) 私たちは彼のお姉さん(妹さん)を知っています。 (3) 誰が彼らの家を建てているのですか? (4) 彼の兄(弟)は彼女を愛しています。

3 (1) хочу́ (2) хо́чешь (3) хоти́м (4) хоти́те (5) хо́чет (6) хотя́т

4 (1) слу́шаете (2) слы́шал / слы́шала (3) слы́шу (4) Слу́шаю

第10課

1 (1) шко́ле (2) Са̀нкт-Петербу́рге (3) трамва́е (4) столе́ (5) мо́ре

2 (1) но́вом о́фисе (2) ста́ром кафе́ (3) ру́сской му́зыке (4) ле́тней да́че (5) Кра́сной пло́щади

3 (1) живу́ (2) живём (3) живёшь (4) живёте (5) живёт (6) живу́т

4 (1) о (2) в (3) на (4) В (5) На

第11課

1 (1) нача́льнику (2) Ма́ше (3) Та́не (4) Серге́ю

2 (1) но́вой подру́ге (2) молодо́му фигури́сту (3) мла́дшему бра́ту
(4) ру́сскому студе́нту [※ру́сскийは軟変化ではなく「硬変化+正書法の規則」タイプです(➡p.213)。] (5) ста́ршей сестре́ [※ста́ршийは硬変化ではなく「軟変化+正書法の規則」タイプです(➡p.213)。]

3 (1) Кому́ (2) мне́ (3) и́м (4) ему́ (5) на́м (6) е́й (7) ва́м

4 (1) мне́（和訳:彼は私に美しい写真を見せてくれました。） (2) мла́дшему бра́ту（和訳:私は弟に小さなおもちゃをプレゼントしました。） (3) ва́м（和訳:これはあなた〔たち〕にです。）
(4) Кому́（和訳:誰に電話してるの?）

第12課

1 (1) Москвы́ (2) Ши́шкина (3) тёти А́ни (4) чего́

2 (1) ма́ленькой сестры́ (2) хоро́шего худо́жника (3) голо́дного дру́га (4) ру́сской исто́рии

3 (1) го́род (2) вы́ход (3) ру́сский язы́к (4) Япо́ния (5) ста́ршая сестра́

4 (1) руба́шка ста́ршей сестры́ (2) зда́ние Большо́го теа́тра (3) кни́га япо́нского писа́теля (4) фотогра́фия но́вой подру́ги

第13課

1 (1) Та́м бы́ло большо́е о́зеро. (2) Зде́сь бы́ли университе́ты. (3) На пло́щади бы́л па́мятник. (4) В це́нтре го́рода была́ шко́ла.

2 (1) Серге́я (2) А́нны (3) ста́ршего бра́та (4) ба́бушки

3 (1) меня́ (2) него́ (3) на́с (4) е́сть (5) бы́ли

4 (1) У ва́с е́сть вре́мя? (2) У него́ е́сть сы́н и до́чь. (3) У меня́ е́сть па́спорт. (4) У му́жа е́сть дя́дя. (5) Зде́сь е́сть вода́?

第14課

1 (1) бу́дем (2) бу́дет (3) бу́дете (4) бу́дут

2 (1) Я́ бу́ду слу́шать о́перу. (2) На́ш сы́н бу́дет изуча́ть англи́йский язы́к. (3) Мы́ бу́дем говори́ть по-ру́сски. (4) Что́ ты́ бу́дешь смотре́ть? [※смотре́тьは第2変化動詞です(➡第6課❷)。現在形はя́ смотрю́, ты́ смо́тришь...のように変化しますが、現在形を未来形に直すときは、不定形смотре́тьに戻して、そこにбы́тьの未来形を加えます。] (5) Моя́ до́чь бу́дет жи́ть в Сиби́ри. [※жи́тьは不規則動詞です(➡第10課❷)。現在形はя́ живу́, ты́ живёшь...という形ですが、これも未来形にするときは、不定形жи́тьに戻してから、そこにбы́тьの未来形を加えてください。]

3 (1) па́спорта (2) биле́та (3) рабо́ты (4) воды́

4 (1) В ию́ле мы́ бу́дем на да́че. (2) За́втра я бу́ду смотре́ть бале́т. (3) У на́с не́т дя́ди. [※-аや-яで終わる男性名詞は、-аや-яで終わる女性名詞と同じ変化をします。] (4) Вчера́ у меня́ не́ было экза́мена.

第15課

1 (1) му́зыкой (2) журнали́стом (3) писа́телем (4) Ка́тей (5) тетра́дью

2 (1) молоды́м худо́жником (2) япо́нской фигури́сткой (3) ма́леньким сы́ном (4) люби́мой ба́бушкой

3 (1) мно́й (2) ни́ми (3) тобо́й (4) не́й [※«мы́ с не́й»は①「私たちと彼女」、②「私と彼女」という2通りの意味が可能です。②の場合は、まず最初にмы́（私たち）と言ってから、「誰と一緒の」私たちなのかを後からс＋〔造格〕で示しています。«я́ с не́й»や«я́ и она́»と言うより、「私」と「彼女」の一体感が強く感じられるような言い方です。]

4 (1) су́п с ры́бой (2) бо́рщ с чёрным хле́бом (3) сэ́ндвич с сы́ром (4) пирожо́к с мя́сом

第16課

1 (1) Михаи́ла, Никола́я (2) па́пу, ма́му (3) ста́ршего бра́та (4) ру́сский журна́л (5) ру́сского писа́теля

2 (1) э́том го́роде (2) э́того актёра (3) э́той студе́нтки (4) э́ту фигури́стку

3 (1) ста́рому дру́гу (2) до́брой сосе́дкой (3) ру́сского худо́жника (4) хоро́шей шко́ле [※хоро́шийは硬変化ではなく「軟変化＋正書法の規則」タイプです（➡p.213）。] (5) молоды́м актёром (6) мла́дшей сестре́ [※мла́дшийも硬変化ではなく「軟変化＋正書法の規則」タイプです（➡p.213）。] (7) но́вой о́перы (8) япо́нском университе́те [※япо́нскийは軟変化ではなく「硬変化＋正書法の規則」タイプです（➡p.213）。]

第17課

1 (1) смотрю́ (2) покупа́ет (3) купи́ли (4) стро́или, постро́или (5) де́лают (6) прочита́ли

2 (1) О́н бу́дет де́лать дома́шнее зада́ние. (2) О́н сде́лает дома́шнее зада́ние. (3) Каку́ю кни́гу ты́ бу́дешь чита́ть? (4) Я́ прочита́ю «Войну́ и ми́р» Л.Н. Толсто́го. (5) О́н ку́пит ры́бу. [※купи́тьはлюби́тьなどと同じ第2変化のバリエーションタイプ（➡p.80）で、アクセントも移動します（я́ куплю́, ты́ ку́пишь, о́н ку́пит, мы́ ку́пим, вы́ ку́пите, они́ ку́пят）。] (6) Мы́ бу́дем покупа́ть я́годы в э́том магази́не.

3 (1) чита́ть (2) де́лать (3) купи́ть (4) смотре́ть (5) подари́ть

4 (1) Влади́мире (2) ста́ршим бра́том (3) экза́мене (4) э́том вопро́се

第18課

1 (1) вку́сно (2) Интере́сно (3) хорошо́ (4) прекра́сно

2 (1) Тебе́ (2) Мне́ (3) Ему́ (4) бы́ло (5) бу́дет

3 (1) Нельзя́ (2) Ну́жно (3) мо́жно (4) нельзя́ (5) мо́жно (6) ну́жно

4 (1) На́м, на́до (和訳:私たちは学校を建てなければなりません。) (2) Мо́жно, вино́ (和訳:白ワインを注文してもいいですか?) (3) Ва́м, интере́сно (和訳:あなた〔たち〕はロシア語を勉強するのがおもしろいですか?) (4) бы́ло (和訳:12月は寒かったです。)

第19課

1 (1) краси́вее (2) интере́снее (3) лу́чше (4) бо́льше (5) да́льше (6) ме́ньше

2 (1) 私の娘は私より上手に英語を話します。 (2) あなたはもっと真面目に働かないといけません。 (3) 私たちの町はモスクワよりも美しいです。 (4) この本は教科書よりもおもしろいです。 (5) ここではもっと静かに話さないといけません。

3 (1) на́с (2) Серге́я (3) меня́

4 (1) сде́лайте (2) посмотри́те [※アクセントが移動する動詞の場合、命令形のアクセントは1人称単数のアクセントに準じます。] (3) гото́вьте [※1人称単数は(я́) гото́влю で、-л-が入っていますが、これは語尾の一部と見なされるので、語幹はгото́в-です。]

第20課

1 (1) студе́нтов (2) море́й (3) подру́г (4) супо́в (5) ге́ниев [※(2)と(4)はアクセントが移動します。]

2 (1) япо́нских городо́в [※го́родはアクセントが移動します。] (2) изве́стных худо́жников (3) но́вых сло́в (4) молоды́х писа́телей (5) све́жих сала́тов

3 (1) интере́сна (2) за́няты (3) свобо́дны (4) мо́лод [※молодо́йの短語尾はアクセントが移動します(мо́лод / молода́ / мо́лодо / мо́лоды)。]

4 (1) [現在形] (я́) стара́юсь (ты́) стара́ешься (о́н) стара́ется (мы́) стара́емся (вы́) стара́етесь (они́) стара́ются [過去形] 男性стара́лся 女性стара́лась 中性 стара́лось 複数 стара́лись (2) [現在形] (я́) улыба́юсь (ты́) улыба́ешься (о́н) улыба́ется (мы́) улыба́емся (вы́) улыба́етесь (они́) улыба́ются [過去形] 男性улыба́лся 女性улыба́лась 中性улыба́лось 複数улыба́лись (3) [現在形] (я́) бою́сь (ты́) бои́шься (о́н) бои́тся (мы́) бои́мся (вы́) бои́тесь (они́) боя́тся [過去形] 男性боя́лся 女性боя́лась 中性боя́лось 複数боя́лись

第21課

1 (1) трúдцать трú (2) сóрок шéсть (3) пятьдеся́т пя́ть
(4) вóсемьдесят вóсемь (5) девянóсто дéвять (6) стó семнáдцать

2 (1) пя́ть трамвáев (2) двé грýппы (3) четы́ре буты́лки (4) дéсять самолётов (5) стó однá собáка (6) двáдцать двá автóбуса
(7) мнóго блю́д (8) немнóго пúва

3 (1) чáс пятнáдцать минýт (2) сéмь часóв сóрок двé минýты
(3) дéвять часóв дéсять минýт (4) трú часá трúдцать минýт

4 (1) Скóлько（和訳:これはいくらですか?） (2) стó, девянóсто（和訳:この雑誌は190ルーブルです。） (3) Во, скóлько, бýдет（和訳:バスは何時に来る予定ですか?）
(4) девятнáдцать, часóв（和訳:コンサートは19時にある予定です。）

第22課

1 (1) бы́вшим одноклáссникам (2) молоды́м подрýгам (3) япóнским журналúстам

2 (1) рýсскими студéнтками (2) талáнтливыми худóжниками
(3) хорóшими футболúстами

3 (1) какúх городáх (2) извéстных футболúстах
(3) красúвых фотогрáфиях

4 (1) хорóшим музыкáнтом (2) дóброй (3) прекрáсным (4) жáрким
(5) интерéсным

第１課～第22課で詳しく説明できなかった単語、表現などをまとめました。

正書法の規則（➡ 第4課❸）

г, к, х, ж, ч, ш, щという子音の後ろに母音**ы, ю, я**を続けてはならず、代わりに**и, у, а**をつづります。つづり方に関するこのルールを正書法の規則と言います。

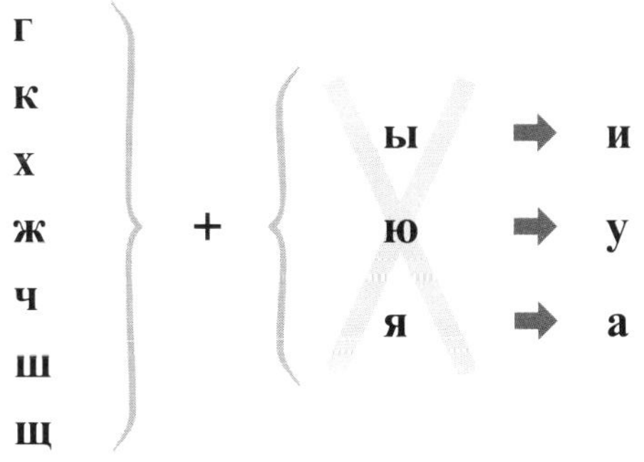

このルールは、単語が複数形になったり、格変化したりしたときなどにも適用されます。

【単数・主格】**учéбник**（教科書）
【複数・主格】× **учéбникы** ➡ ○ **учéбники**

【単数・主格】**кни́га**（本）
【単数・生格】× **кни́гы** ➡ ○ **кни́ги**

また形容詞は、正書法の規則が適用されると、基本パターンとは異なる形になる場合があります。そのため、形容詞の変化は3パターンの基本形の他に、さらに3つのバリエーションが出てきて非常に複雑に見えますが、正書法の規則をしっかりおさえておけば、すっきり理解できますよ！（形容詞の基本パターンとバリエーションについては、p.212～213の変化表をご覧ください。）

時間表現いろいろ

🔈B-58

今日	сего́дня	明日	за́втра
昨日	вчера́	あさって	по̀слеза́втра
おととい	позавчера́		

朝	у́тро	朝に	у́тром
昼	де́нь	昼に	днём
夕方〜夜	ве́чер	夕方〜夜に	ве́чером
夜〜夜中	но́чь	夜〜夜中に	но́чью

※ но́чьのほうがве́черよりも遅い時間帯を指します。

春	весна́	春に	весно́й
夏	ле́то	夏に	ле́том
秋	о́сень	秋に	о́сенью
冬	зима́	冬に	зимо́й

曜日

🔈B-59

「〜曜日に」は「**в**（**во**）＋**対格**」です。

月曜日	понеде́льник	月曜日に	в понеде́льник
火曜日	вто́рник	火曜日に	во вто́рник
水曜日	среда́	水曜日に	в сре́ду
木曜日	четве́рг	木曜日に	в четве́рг
金曜日	пя́тница	金曜日に	в пя́тницу
土曜日	суббо́та	土曜日に	в суббо́ту
日曜日	воскресе́нье	日曜日に	в воскресе́нье

※「水曜日」は対格になるとアクセントが移動します。

大きな個数詞（200以上） ※1～199は第21課 ❶ をご覧ください

🔈 B-60

200	две́сти	800	восемьсо́т	10,000	де́сять ты́сяч
300	три́ста	900	девятьсо́т	15,000	пятна́дцать ты́сяч
400	четы́реста	1,000	ты́сяча	20,000	два́дцать ты́сяч
500	пятьсо́т	2,000	две́ ты́сячи	100,000	сто́ ты́сяч
600	шестьсо́т	3,000	три́ ты́сячи	1,000,000	миллио́н
700	семьсо́т	5,000	пя́ть ты́сяч	2,000,000	два́ миллио́на

順序数詞（～番目の）

🔈 B-61

1	пе́рвый	14	четы́рнадцатый	90	девяно́стый
2	второ́й	15	пятна́дцатый	100	со́тый
3	тре́тий	16	шестна́дцатый	200	двухсо́тый
4	четвёртый	17	семна́дцатый	300	трёхсо́тый
5	пя́тый	18	восемна́дцатый	400	четырёхсо́тый
6	шесто́й	19	девятна́дцатый	500	пятисо́тый
7	седьмо́й	20	двадца́тый	600	шестисо́тый
8	восьмо́й	30	тридца́тый	700	семисо́тый
9	девя́тый	40	сороково́й	800	восьмисо́тый
10	деся́тый	50	пятидеся́тый	900	девятисо́тый
11	оди́ннадцатый	60	шестидеся́тый	1,000	ты́сячный
12	двена́дцатый	70	семидеся́тый	1,000,000	миллио́нный
13	трина́дцатый	80	восьмидеся́тый		

合成数詞（➡第21課 ❶ ）に対応する順序数詞は、末尾の数詞のみ順序数詞にします。

128番目の сто́ два́дцать восьмо́й　2019番目の две́ ты́сячи девятна́дцатый

日付

🔊 B-62

順序数詞を中性形主格にし、月名（➡p. 126）を生格にして後ろに添えます。

восьмóе мáрта 3月8日

「～日に」は順序数詞を中性生格にします。

восьмóго мáрта 3月8日に

大事な前置詞

без (безо)　［**+生格**］～なしで

в (во)　①［**+前置格**］～の中で、～で　②［**+対格**］～の中へ、～へ

для　［**+生格**］～のために、～にとって

до　［**+生格**］～まで

из (изо)　［**+生格**］～の中から、～から

к (ко)　［**+与格**］～のほうへ

мéжду　［**+造格**］～の間に

на　①［**+前置格**］～の上で、～で　②［**+対格**］～の表面へ、～へ

о (об, обо)　［**+前置格**］～について

óколо　［**+生格**］～のまわりに、～の近くに

пóсле　［**+生格**］～の後で

с (со)　①［**+造格**］～と一緒に、～を添えて　②［**+生格**］～の表面から、～から

у　［**+生格**］～のところに、～のそばに

чéрез　［**+対格**］～を通じて、～後に

よく使う表現いろいろ （　）内はты́に対する形、［　］内は女性形。 B-63

Здра́вствуйте! (Здра́вствуй!)

こんにちは！（1日のうちどの時間帯でも使えるあいさつ）

До́брое у́тро! おはよう！

До́брый де́нь! こんにちは！

До́брый ве́чер! こんばんは！

Споко́йной но́чи! お休みなさい！

До свида́ния! / До встре́чи! さようなら！（直訳「また会うときまで！」）

Ка́к ва́с зову́т? あなたのお名前は？

Меня́ зову́т А́нна. 私の名前はアンナです。

О́чень прия́тно. はじめまして。

Я́ прие́хал [прие́хала] из Япо́нии. 私は日本から来ました。

Ка́к дела́? / Ка́к живёте? (Ка́к живёшь?) 調子はどうですか？

Хорошо́! いいですよ！

Непло́хо. 悪くありません。

Спаси́бо. ありがとう。

Извини́те! すみません！

Прости́те! すみません！（«Извини́те!»よりも謝罪の度合いが強い）

С Но́вым го́дом! 新年あけましておめでとう！

С днём рожде́ния! お誕生日おめでとう！

Прия́тного аппети́та! おいしく召し上がれ！（直訳「良い食欲を願います！」）

Паке́т ну́жен? レジ袋はいりますか？

На сле́дующей выхо́дите?

次の駅で降りますか？（地下鉄やバスの車内が混んでいるとき、自分より出口に近い人にこう聞くと、場所を入れ替わってくれるので降りやすくなる）

変化表

ロシア語の単語は、どの性なのか、単数なのか複数なのか、どの格なのかによって、形が変化します。また、動詞も主語の人称や性・数によって形が変化します。基本的な変化のパターンをここにまとめましたので、確認したいときに参照するようにしてください。

名詞

男性名詞

語尾		-子音	-й*	-ь
単数	主格	магази́н 店	трамва́й 路面電車	портфе́ль 書類カバン
	生格	магази́на	трамва́я	портфе́ля
	与格	магази́ну	трамва́ю	портфе́лю
	対格	магази́н	трамва́й	портфе́ль
	造格	магази́ном	трамва́ем	портфе́лем
	前置格	магази́не	трамва́е	портфе́ле
複数	主格	магази́ны	трамва́и	портфе́ли
	生格	магази́нов	трамва́ев	портфе́лей
	与格	магази́нам	трамва́ям	портфе́лям
	対格	магази́ны	трамва́и	портфе́ли
	造格	магази́нами	трамва́ями	портфе́лями
	前置格	магази́нах	трамва́ях	портфе́лях

＊-ий で終わる名詞は少し違った変化をします。（右ページの下の表参照）

女性名詞

語尾		-а	-я*	-ь
単数	主格	газе́та 新聞	неде́ля 週	тетра́дь ノート
	生格	газе́ты	неде́ли	тетра́ди
	与格	газе́те	неде́ле	тетра́ди
	対格	газе́ту	неде́лю	тетра́дь
	造格	газе́той	неде́лей	тетра́дью
	前置格	газе́те	неде́ле	тетра́ди
複数	主格	газе́ты	неде́ли	тетра́ди
	生格	газе́т	неде́ль	тетра́дей
	与格	газе́там	неде́лям	тетра́дям
	対格	газе́ты	неде́ли	тетра́ди
	造格	газе́тами	неде́лями	тетра́дями
	前置格	газе́тах	неде́лях	тетра́дях

＊-ия で終わる名詞は少し違った変化をします。（右ページの下の表参照）

表の見方
・ここで示しているのは、変化のパターンです。同じ種類の単語の語尾は同じように変化します。
・単語の変化する部分（変化語尾）は赤い文字で示しています。

中性名詞

語尾		-о	-е*	-мя
単数	主格	ме́сто 場所	мо́ре 海	и́мя 名前
	生格	ме́ста	мо́ря	и́мени
	与格	ме́сту	мо́рю	и́мени
	対格	ме́сто	мо́ре	и́мя
	造格	ме́стом	мо́рем	и́менем
	前置格	ме́сте	мо́ре	и́мени
複数	主格	места́	моря́	имена́
	生格	ме́ст	море́й	имён
	与格	места́м	моря́м	имена́м
	対格	места́	моря́	имена́
	造格	места́ми	моря́ми	имена́ми
	前置格	места́х	моря́х	имена́х

＊-иеで終わる名詞は少し違った変化をします。（下の表参照）

-ий, -ия, -иеで終わる名詞

語尾		-ий（男性名詞）	-ия（女性名詞）	-ие（中性名詞）
単数	主格	санато́рий サナトリウム	аудито́рия 教室	зда́ние 建物
	生格	санато́рия	аудито́рии	зда́ния
	与格	санато́рию	аудито́рии	зда́нию
	対格	санато́рий	аудито́рию	зда́ние
	造格	санато́рием	аудито́рией	зда́нием
	前置格	санато́рии	аудито́рии	зда́нии
複数	主格	санато́рии	аудито́рии	зда́ния
	生格	санато́риев	аудито́рий	зда́ний
	与格	санато́риям	аудито́риям	зда́ниям
	対格	санато́рии	аудито́рии	зда́ния
	造格	санато́риями	аудито́риями	зда́ниями
	前置格	санато́риях	аудито́риях	зда́ниях

人称代名詞（単数） ※（　）内に記しているのは、前置詞を伴うときの形です。

	私	君	彼	それ	彼女
主格	я́	ты́	о́н	оно́	она́
生格	меня́	тебя́	его́ (него́)		её (неё)
与格	мне́	тебе́	ему́ (нему́)		е́й (не́й)
対格	меня́	тебя́	его́ (него́)		её (неё)
造格	мно́й	тобо́й	и́м (ни́м)		е́й (не́й)
前置格	мне́	тебе́	нём		не́й

人称代名詞（複数）

	私たち	あなた、君・あなたたち	彼ら、それら
主格	мы́	вы́	они́
生格	на́с	ва́с	и́х (ни́х)
与格	на́м	ва́м	и́м (ни́м)
対格	на́с	ва́с	и́х (ни́х)
造格	на́ми	ва́ми	и́ми (ни́ми)
前置格	на́с	ва́с	ни́х

疑問詞 что́, кто́

主格	что́ 何	кто́ 誰
生格	чего́	кого́
与格	чему́	кому́
対格	что́	кого́
造格	че́м	ке́м
前置格	чём	ко́м

指示代名詞 ※男性形対格・複数形対格の上段は不活動体、下段は活動体です。

э́тот この

	男性形	中性形	女性形	複数形
主格	э́тот	э́то	э́та	э́ти
生格	э́того		э́той	э́тих
与格	э́тому		э́той	э́тим
対格	э́тот э́того	э́то	э́ту	э́ти э́тих
造格	э́тим		э́той	э́тих
前置格	э́том		э́той	э́тими

所有代名詞 ※男性形対格・複数形対格の上段は不活動体、下段は活動体です。

мо́й 私の

	男性形	中性形	女性形	複数形
主格	мо́й	моё	моя́	мои́
生格	моего́		мое́й	мои́х
与格	моему́		мое́й	мои́м
対格	мо́й моего́	моё	мою́	мои́ мои́х
造格	мои́м		мое́й	мои́ми
前置格	моём		мое́й	мои́х

※твой（君の）、свой（自分の）も同じ語尾です。

на́ш 私たちの

	男性形	中性形	女性形	複数形
主格	на́ш	на́ше	на́ша	на́ши
生格	на́шего		на́шей	на́ших
与格	на́шему		на́шей	на́шим
対格	на́ш на́шего	на́ше	на́шу	на́ши на́ших
造格	на́шим		на́шей	на́шими
前置格	на́шем		на́шей	на́ших

※ва́ш（あなた（たち）の、君たちの）も同じ語尾です。

3人称

	単数	複数
男性（彼の）	его́	и́х
中性（その）	его́	
女性（彼女の）	её	

※3人称の所有代名詞は変化しません。

形容詞 ※男性形対格・複数形対格の上段は不活動体、下段は活動体です。

【硬変化】「美しい」

	男性形	中性形	女性形	複数形
主格	краси́вый	краси́вое	краси́вая	краси́вые
生格	краси́вого		краси́вой	краси́вых
与格	краси́вому		краси́вой	краси́вым
対格	краси́вый краси́вого	краси́вое	краси́вую	краси́вые краси́вых
造格	краси́вым		краси́вой	краси́выми
前置格	краси́вом		краси́вой	краси́вых

【硬変化（語尾アクセント型）】「若い」

	男性形	中性形	女性形	複数形
主格	молодо́й	молодо́е	молода́я	молоды́е
生格	молодо́го		молодо́й	молоды́х
与格	молодо́му		молодо́й	молоды́м
対格	молодо́й молодо́го	молодо́е	молоду́ю	молоды́е молоды́х
造格	молоды́м		молодо́й	молоды́ми
前置格	молодо́м		молодо́й	молоды́х

【軟変化】「青い」

	男性形	中性形	女性形	複数形
主格	си́ний	си́нее	си́няя	си́ние
生格	си́него		си́ней	си́них
与格	си́нему		си́ней	си́ним
対格	си́ний си́него	си́нее	си́нюю	си́ние си́них
造格	си́ним		си́ней	си́ними
前置格	си́нем		си́ней	си́них

※以下の3パターンは正書法の規則が関係する場合です。下線を引いたところが基本パターンと異なります。

【形容詞硬変化+正書法の規則】「ロシアの」

	男性形	中性形	女性形	複数形
主格	ру́сский	ру́сское	ру́сская	ру́сские
生格	ру́сского		ру́сской	ру́сских
与格	ру́сскому		ру́сской	ру́сским
対格	ру́сский ру́сского	ру́сское	ру́сскую	ру́сские ру́сских
造格	ру́сским		ру́сской	ру́сскими
前置格	ру́сском		ру́сской	ру́сских

【形容詞硬変化(語尾アクセント型)+正書法の規則】「大きい」

	男性形	中性形	女性形	複数形
主格	большо́й	большо́е	больша́я	больши́е
生格	большо́го		большо́й	больши́х
与格	большо́му		большо́й	больши́м
対格	большо́й большо́го	большо́е	большу́ю	больши́е больши́х
造格	больши́м		большо́й	больши́ми
前置格	большо́м		большо́й	больши́х

【形容詞軟変化+正書法の規則】「熱い」

	男性形	中性形	女性形	複数形
主格	горя́чий	горя́чее	горя́чая	горя́чие
生格	горя́чего		горя́чей	горя́чих
与格	горя́чему		горя́чей	горя́чим
対格	горя́чий горя́чего	горя́чее	горя́чую	горя́чие горя́чих
造格	горя́чим		горя́чей	горя́чими
前置格	горя́чем		горя́чей	горя́чих

動詞

【第1変化】

不定形			де́лать 〔不完〕～する	сде́лать 〔完〕～する
過去	単数	男性形 о́н	де́лал	сде́лал
		女性形 она́	де́лала	сде́лала
		中性形 оно́	де́лало	сде́лало
	複数 они́		де́лали	сде́лали
現在	単数	1人称 я́	де́лаю	
		2人称 ты́	де́лаешь	
		3人称 о́н, она́, оно́	де́лает	
	複数	1人称 мы́	де́лаем	
		2人称 вы́	де́лаете	
		3人称 они́	де́лают	
未来	単数	1人称 я́	бу́ду де́лать	сде́лаю
		2人称 ты́	бу́дешь де́лать	сде́лаешь
		3人称 о́н, она́, оно́	бу́дет де́лать	сде́лает
	複数	1人称 мы́	бу́дем де́лать	сде́лаем
		2人称 вы́	бу́дете де́лать	сде́лаете
		3人称 они́	бу́дут де́лать	сде́лают

【第2変化】

不定形			смотре́ть 〔不完〕見る	посмотре́ть 〔完〕見る
過去	単数	男性形 о́н	смотре́л	посмотре́л
		女性形 она́	смотре́ла	посмотре́ла
		中性形 оно́	смотре́ло	посмотре́ло
	複数 они́		смотре́ли	посмотре́ли
現在	単数	1人称 я́	смотрю́	
		2人称 ты́	смо́тришь	
		3人称 о́н, она́, оно́	смо́трит	
	複数	1人称 мы́	смо́трим	
		2人称 вы́	смо́трите	
		3人称 они́	смо́трят	
未来	単数	1人称 я́	бу́ду смотре́ть	посмотрю́
		2人称 ты́	бу́дешь смотре́ть	посмо́тришь
		3人称 о́н, она́, оно́	бу́дет смотре́ть	посмо́трит
	複数	1人称 мы́	бу́дем смотре́ть	посмо́трим
		2人称 вы́	бу́дете смотре́ть	посмо́трите
		3人称 они́	бу́дут смотре́ть	посмо́трят

単語集

本書で出てきた単語を一覧にしてあります。（　）で示した赤い数字は最初に出てきた課を表し（(付) は付録)、最後の数字でそのページを表記しています。また、以下の略号を用いています。

男 = 男性名詞・男性形　女 = 女性名詞・女性形　中 = 中性名詞・中性形

完 = 完了体　不完 = 不完了体　① = 第1変化動詞　② = 第2変化動詞

А а

а では、一方 (2) 29
а не ~ ～ではなく (18) 161
а́вгуст 8月 (14) 126
авиапо́чта 航空便 (15) 133
авто́бус バス (21) 181
актёр (男性の) 俳優 (16) 145
алкого́ль アルコール 男 (7) 73
альбо́м アルバム、画集 (12) 109
америка́нский アメリカの (5) 53
англи́йский イギリスの (14) 125
аниме́ (主に日本の) アニメ〔不変化〕 (22) 189
апре́ль 4月 男 (14) 126
а́х та́к ああ、そうなんだ (12) 113

Б б

ба́бушка おばあちゃん (3) 37
бале́т バレエ (6) 61
без (безо) [+生格] ～なしで (17) 153
бе́лый 白い (10) 93
беспоко́иться 心配する 不完 ② (20) 173
биле́т チケット (13) 117
бли́же бли́зкийの比較級 (19) 165
бли́зкий 近い (19) 165
блю́до 皿、料理 (20) 173
Бо́же (мо́й)! おやまあ、ええっ！(驚きや困惑、喜びなどを表す表現) (1) 25
бока́л ワイングラス (18) 161
бо́лее より～ (19) 165
бо́льше большо́йの比較級 (19) 165
большо́й 大きい (6) 61
Большо́й теа́тр ボリショイ劇場 (6) 61
бо́рщ ボルシチ (12) 109
боя́ться 恐れる 不完 ② (20) 173
бра́т 兄、弟 (9) 85
буты́лка ボトル (18) 161
бы́вший かつての、過去の (16) 141
бы́ть ある、いる、～である 不完〔不規則〕 (13) 117

В в

в (во) (1)[+前置格] ～の中で、～で (2)[+対格] ～の中へ、～へ (10, 付) 93, 206
варе́нье ジャム (9) 85
ва́ш あなた(たち)の、君たちの (4) 45
ве́дь だって (14) 129
весна́ 春 (付) 204
весно́й 春に (付) 204
ве́чер 夕方、夜 (5) 53
ве́чером 夕方～夜に (付) 204
ви́деть 見える 不完 ② (10) 93
вино́ ワイン (4) 45
вку́сно おいしい〔無人称述語〕 (18) 157
вку́сный おいしい〔形容詞〕 (9) 85
Владивосто́к ウラジオストク (17) 149
вме́сте 一緒に (6) 65
вода́ 水 (1) 21
во́дка ウォッカ (1) 21
война́ 戦争 (17) 149
во́н (遠いところにあるものを指して) ほら (1) 21
вопро́с 質問 (13) 117
восемна́дцатый 18番目の (付) 205
восемна́дцать 18 (21) 182
во́семь 8 (21) 182
во́семьдесят 80 (21) 182
восемьсо́т 800 (付) 205
воскресе́нье 日曜日 (付) 204
восьмидеся́тый 80番目の (付) 205
восьмисо́тый 800番目の (付) 205
восьмо́й 8番目の (付) 205
во́т (近いところにあるものを指して) ほら (1) 21

врáч 医師 (2) 29
врéмя 時間 中 (13) 117
всегдá いつも (14) 129
встрéтиться 会う 完 ② (21) 185
втóрник 火曜日 (付) 204
вторóй 2番目の (付) 205
вхóд 入り口 (1) 21
вчерá 昨日 (7) 69
вы́ あなた、君たち、あなたたち (2) 29
вы́бор 選択 (20) 173
вы́пить 飲む、(酒を)飲む 完〔不規則〕 (18) 161
высóкий 高い (10) 93
вы́ставка 展覧会 (10) 93
выступáть 出演する 不完 ① (6) 65
вы́ход 出口 (1) 21

Г г

газéта 新聞 (4) 45
гдé どこに (1) 21
гдé-то どこかに (10) 97
гéний 天才 (11) 101
говори́ть 話す 不完 ② (6) 61
гóд 年 (15) 133
голóдный 空腹の (7) 69
голубóй 水色の (6) 61
гóрод 町 (10) 93
горя́чий 熱い (7) 69
готóвить 準備・料理する 不完 ② (19) 165
грóмкий (声・音が)大きい (19) 165
грóмче грóмкийの比較級 (19) 165
грýппа グループ (20) 173
гуля́ть 散歩する 不完 ① (3) 37

Д д

дá はい (1) 21
давáй ～しよう(勧誘) (6) 65
давнó ずっと前から、長い間 (9) 85
дáже ～でさえ (14) 129
далёкий 遠い (19) 165
дáльше далёкийの比較級 (19) 165
дари́ть プレゼントする 不完 ② (17) 149
дáть 与える 完〔不規則〕 (19) 165
дáча 別荘 (8) 77
двá 2 (21) 182
двá миллиóна 2,000,000 (付) 205
двадцáтый 20番目の (付) 205
двáдцать 20 (21) 182
двáдцать ты́сяч 20,000 (付) 205
двé ты́сячи 2,000 (付) 205
двенáдцатый 12番目の (付) 205
двенáдцать 12 (21) 182
двéсти 200 (付) 205
двухсóтый 200番目の (付) 205
дéвочка 少女、女の子 (22) 189
девянóсто 90 (21) 182
девянóстый 90番目の (付) 205
девятисóтый 900番目の (付) 205
девятнáдцатый 19番目の (付) 205
девятнáдцать 19 (21) 182
девя́тый 9番目の (付) 205
дéвять 9 (21) 182
девятьсóт 900 (付) 205
дéдушка おじいちゃん (3) 37
декáбрь 12月 男 (14) 126
дéлать する 不完 ① (3) 37
дéнь 日、昼 男 (5) 53
дéньги お金(複数形のみの名詞) (8) 81
деся́тый 10番目の (10) 93
дéсять 10 (21) 182
дéсять ты́сяч 10,000 (付) 205
дéтство 子供時代 (15) 137
для [+生格]～のために、～にとって (12) 109
днём 昼に (付) 204
до [+生格]～まで (付) 206
До свидáния! さようなら! (5) 53
дóбрый 良い、善良な、親切な (5) 53
договори́ться 約束する、取り決める 完 ② (21) 185
дóлго 長い間、ずっと (17) 149
дóллар ドル (21) 181
дóм 家 (6) 61
дóма 家で (14) 125

Е е

Ж ж

З з

И и

К к

ка́к (1)どのように (2)〜のような (10, 13) 97, 121

Ка́к дела́? 元気? 調子はどう? (12) 113

како́й (1)どのような〔疑問詞〕、(2)なんという〔感嘆〕 (6, 10) 61, 93

кара́куля 落書き (22) 193

карти́на 絵 (10) 93

карто́шка ジャガイモ (21) 181

кафе́ カフェ〔不変化〕 (7) 69

кварти́ра (アパート・マンションなど集合住宅の)住居 (22) 193

Кино́ キノー(ソ連時代の有名なロックバンド)〔不変化〕 (5) 57

класси́ческий クラシックの (9) 85

кни́га 本 (4) 45

когда́ いつ〔疑問詞〕 (3) 41

когда́ 〜のときに〔接続詞〕 (22) 193

кольцо́ 指輪、輪 (11) 101

ко́микс マンガ (5) 57

коне́чно もちろん (5) 57

конце́рт コンサート (21) 181

ко́смос 宇宙 (10) 97

ко́фе コーヒー〔不変化〕 (1) 21

краса́вец 美男子 (2) 33

краса́вица 美人 (2) 33

краси́вый 美しい (5) 53

кра́сный 赤い (7) 69

Кре́мль クレムリン 男 (13) 117

кста́ти ちなみに (13) 121

кто́ 誰 (2) 29

культу́ра 文化 (8) 77

купи́ть 買う 完 ② (7) 69

Л л

лебеди́ный 白鳥の (6) 65

легенда́рный 伝説的な (5) 57

лёд 氷 (7) 69

ле́с 森 (14) 129

лете́ть 飛ぶ 不完 ② (15) 133

ле́тний 夏の (10) 93

ле́то 夏 (14) 129

ле́том 夏に (14) 129

лимо́н レモン (15) 133

лу́чше хоро́шийの比較級 (19) 165

лу́чший 最良の (15) 137

люби́мый 好きな (5) 53

люби́ть 愛する、好む 不完 ② (8) 77

М м

магази́н 店 (8) 77

ма́й 5月 (14) 126

ма́ленький 小さい (11) 105

ма́ма お母さん (2) 29

Марии́нский теа́тр マリインスキー劇場 (14) 125

Ма́рс 火星 (10) 97

ма́рт 3月 (14) 126

маши́на 車 (5) 53

ме́дленный 遅い、ゆっくりな (19) 165

ме́жду 〔+造格〕〜の間に (付) 206

междунаро́дный 国際的な (11) 101

ме́ньше ма́ленькийの比較級 (19) 165

метро́ 地下鉄〔不変化〕 (1) 21

миллио́н 1,000,000 (付) 205

миллио́нный 1,000,000番目の (付) 205

мину́та 分 (21) 181

ми́р 平和、世界 (17) 149

мла́дший 年下の (11) 105

мно́го たくさん (7) 69

мо́жет бы́ть もしかすると (17) 153

мо́жно 〜できる、してもよい (18) 157

мо́й 私の (2) 33

молодо́й 若い (6) 61

молоко́ 牛乳 (7) 69

мо́ре 海 (4) 45

Москва́ モスクワ (10) 93

му́ж 夫 (11) 101

музе́й 美術館、博物館 (4) 45

му́зыка 音楽 (8) 77

музыка́нт ミュージシャン (5) 53

мультфи́льм アニメーション (22) 189

мы́ 私たち (2) 29

мы́шь ネズミ、(パソコンの)マウス 女 (11) 101

мя́со 肉 (15) 133

Н н

на (1)[+前置格]～の上で、～で (2)[+対格]～の表面へ、～へ (10, 付) 93, 206
наве́рное たぶん (1) 25
навсегда́ 永遠に、ずっと (15) 137
на́до ～しなくてはならない (18) 157
наконе́ц ついに、とうとう (17) 149
напи́ток 飲み物 (7) 69
нача́льник 上司 (3) 41
на́ш 私たちの (4) 45
не ～ではない (1) 21
недалеко́ 近くに (20) 173
неде́ля 週 (8) 77
нельзя́ ～できない、してはいけない (18) 157
немно́го 少し (18) 161
не́рвничать イライラする、ピリピリする 不完 ① (19) 169
не́т ～がない〔述語〕 (14) 125
не́т いいえ (1) 21
никогда́ 決して～ない、一度も～ない (19) 169
ничего́ 何でもない、何もない (12) 113
но́ しかし (6) 65
но́вый 新しい (5) 53
норма́льно 普通だ (12) 113
но́чь 夜 女 (付) 204
но́чью 夜に (付) 204
ноя́брь 11月 男 (14) 126
ну́ (相手の注意を引くときの)さあ、ねえ、それで (10) 97
Ну́ ты что́? え、何? (12) 113
ну́жно ～しなくてはならない (18) 157

О о

о (об, обо) [+前置格]～について (8) 77
обожа́ть 崇拝する、大好きだ 不完 ① (8) 81
обы́чно ふだん、たいてい (14) 129
оди́н 1 (21) 182
оди́ннадцатый 11番目の (付) 205
оди́ннадцать 11 (21) 182
однокла́ссник 同級生 (16) 141
о́зеро 湖 (6) 65
озорно́й 腕白な (22) 193
о́й ああ、おっと (1) 25
о́коло [+生格]～のそばで (21) 185
октя́брь 10月 男 (14) 126
о́н 彼 (2) 29
она́ 彼女 (2) 29
они́ 彼ら、それら (2) 29
оно́ それ (2) 29
о́пера オペラ (14) 125
опозда́ть 遅れる 完 ① (19) 169
опя́ть また、再び (19) 169
о́сень 秋 女 (付) 204
о́сенью 秋に (付) 204
осо́бенно 特に、とりわけ (20) 173
ота́ку オタク(日本語が元になってできた単語)〔不変化〕 (5) 57
отдыха́ть 休む 不完 ① (3) 41
откры́ться 開く、オープンする 完〔不規則〕 (20) 177
о́тпуск 休暇 (14) 129
о́фис オフィス (1) 25
о́чень とても (6) 61

П п

па́мятник 記念碑 (12) 109
па́па お父さん (2) 29
па́пка ファイル (4) 45
па́спорт パスポート (13) 117
пе́рвый 1番目の (10) 93
перекуси́ть ちょっと食べる、軽くつまむ 完 ② (7) 73
пёсик пёс(雄の犬)の指小形、(雄の)ワンちゃん (9) 89
пи́во ビール (7) 73
пирожо́к ピロシキ (7) 69
писа́тель 作家 男 (4) 45
письмо́ 手紙 (4) 45
пи́ть 飲む 不完〔不規則〕 (7) 73
пи́цца ピザ (7) 69
пла́тье ワンピース (7) 69

пло́хо 悪く、下手に (9) 85
плохо́й 悪い (6) 61
пло́щадь 広場 女 (10) 93
по-англи́йски 英語で (6) 61
пове́рить 信じる 完 ② (19) 165
пого́да 天気 (6) 61
подари́ть プレゼントする 完 ② (11) 101
пода́рок プレゼント (12) 109
подру́га ガールフレンド (11) 101
пожа́луйста どういたしまして、どうぞ、どうぞお願いします (6, 15) 61, 133
позавчера́ おととい (付) 204
по́здно 遅い、遅くに (19) 169
поздравля́ть 祝う 不完 ① (11) 105
познако́миться [с+造格]〜と知り合う 完 ② (22) 189
по-испа́нски スペイン語で (6) 61
пойти́ 出かける 完〔不規則〕 (20) 173
Пока́! じゃあね! (5) 53
показа́ть 見せる、示す 完〔不規則〕 (11) 101
по-кита́йски 中国語で (6) 61
по-коре́йски 韓国語・朝鮮語で (6) 61
покупа́ть 買う 不完 ① (17) 149
по́лдень 正午、真昼 男 (19) 169
по́мнить 覚えている 不完 ② (16) 141
помо́чь 手伝う、助ける 完〔不規則〕 (20) 177
понеде́льник 月曜日 (付) 204
понима́ть 理解している、わかっている 不完 ① (3) 37
попо́зже もう少し遅く (21) 185
пора́ (+ 動詞不定形)〜する時間だ (4) 49
по-ру́сски ロシア語で (6) 61
посла́ть 送る 完〔不規則〕 (15) 133
по́сле [+生格]〜の後で (付) 206
по̀слеза́втра あさって (付) 204
посмотре́ть 見る 完 ② (17) 149
постро́ить 建てる 完 ② (17) 149
потеря́ть なくす 完 ① (14) 125
потому́ что なぜなら (8) 77
почему́ どうして (8) 77
по-япо́нски 日本語で (6) 61
пра́вда (名詞)真実、(述語)本当だ (2) 33
прекра́сно すばらしい (10) 97
прекра́сный すてきな (14) 129
премье́ра プレミア、初演 (14) 125
Приве́т! やあ! (5) 53
продавщи́ца 女性の売り子 (7) 73
про́тив 反対だ〔述語〕 (22) 193
прохо́жий 通行人、通りすがりの人 (1) 25
прочита́ть 読む、読書する 完 ① (17) 149
«Пу́шкинская» 「プーシキンスカヤ」駅(モスクワの中心部にある地下鉄の駅) (21) 185
пье́са 戯曲 (13) 121
пятидеся́тый 50番目の (付) 205
пятисо́тый 500番目の (付) 205
пятна́дцатый 15番目の (付) 205
пятна́дцать 15 (21) 182
пятна́дцать ты́сяч 15,000 (付) 205
пя́тница 金曜日 (付) 204
пя́тый 5番目の (付) 205
пять 5 (21) 182
пять ты́сяч 5,000 (付) 205
пятьдеся́т 50 (21) 182
пятьсо́т 500 (付) 205

Р р

рабо́та 仕事、職場 (10) 93
рабо́тать 働く 不完 ① (3) 37
ребёнок 子供、赤ちゃん (15) 137
рестора́н レストラン (19) 165
реце́пт レシピ (12) 109
рисова́ть 描く 不完〔不規則〕 (22) 193
рожде́ние 誕生 (12) 109
ро́к ロック (5) 53
ро̀к-гру́ппа ロック・グループ (5) 57
росси́йский (国としての)ロシアの (22) 189
Росси́я ロシア (4) 45
руба́шка シャツ (11) 101
ру́бль ルーブル(ロシアの通貨) 男 (21) 181

ру́сский ロシアの (5) 53
ры́ба 魚 (15) 133

С с

с (со) (1)[+造格]～と一緒に、～を入れて・添えて (2)[+生格]～の表面から、～から (15, 付) 133, 206
сала́т サラダ (7) 69
самолёт 飛行機 (21) 181
са́мый 最も、いちばんの (5) 57
Са̀нкт-Петербу́рг サンクトペテルブルク (10) 93
са́хар 砂糖 (15) 133
свари́ть 煮る [完] ② (9) 85
све́жий 新鮮な (7) 69
Светла́на Заха́рова スヴェトラーナ・ザハーロワ(バレエ・ダンサー) (8) 81
свобо́дный 自由な、暇な (20) 177
сво́й 自分の (14) 125
сде́лать する [完] ① (17) 149
сего́дня 今日 (3) 37
седьмо́й 7番目の (付) 205
сейча́с 今 (3) 37
секре́т 秘密 (2) 33
семидеся́тый 70番目の (付) 205
семисо́тый 700番目の (付) 205
семна́дцатый 17番目の (付) 205
семна́дцать 17 (21) 182
се́мь 7 (21) 182
се́мьдесят 70 (21) 182
семьсо́т 700 (付) 205
сентя́брь 9月 [男] (14) 126
серьёзно 真剣に、真面目に (9) 89
серьёзный 真剣な、真面目な (19) 165
сестра́ 姉、妹 (9) 85
Сиби́рь シベリア [女] (10) 93
си́ла 力 (7) 73
си́ний 青い (7) 69
сказа́ть 言う、話す [完]〔不規則〕(19) 165
ско́лько いくつの、どのぐらいの (21) 181
ско́ро もうすぐ (14) 125
слова́рь 辞書 [男] (4) 45
сло́во 単語、言葉 (4) 45
слу́шать 聴く [不完] ① (5) 53
слы́шать 聞く、聞こえる [不完] ② (9) 85
смотре́ть 見る [不完] ② (6) 61
соба́ка 犬 (20) 173
собира́ть 集める [不完] ① (14) 129
сове́т 助言、アドバイス (22) 189
совсе́м すっかり、完全に (22) 193
со́н 夢、眠り (17) 153
со́рок 40 (21) 182
сороково́й 40番目の (付) 205
сосе́дка (女性の)隣人 (15) 137
со́тый 100番目の (付) 205
спаси́бо ありがとう (1) 25
спекта́кль 芝居、劇、バレエ・オペラなどの演目 [男] (6) 65
спо́рт スポーツ (15) 133
спроси́ть 尋ねる、質問する [不完] ② (9) 89
среда́ 水曜日 (付) 204
сро́чный 急ぎの (19) 169
ста́нция 駅 (21) 185
стара́ться 努力する [不完] ① (20) 173
ста́рший 年上の (11) 101
ста́рый 古い (2) 33
стена́ 壁 (22) 193
сто́ 100 (21) 182
сто́ тысяч 100,000 (付) 205
сто́ить 値段が～する、～の価値がある [不完] ② (21) 181
сто́л 机、テーブル (10) 93
стоя́ть 立っている [不完] ② (6) 61
стра́нно 変だ、不思議だ (17) 153
стрела́ 矢 (15) 133
стро́ить 建てる [不完] ② (6) 61
студе́нт 学生 (1) 21
студе́нтка 女子大学生 (12) 109
суббо́та 土曜日 (付) 204
су́п スープ (7) 69
сын 息子 (13) 117
сыр チーズ (15) 133
сэ́ндвич サンドイッチ (7) 73

Т т

такóй (1)そのような、(2)いったい (9) 89
талáнтливый 才能のある (6) 61
тáм あそこに (1) 21
танцóвщик ダンサー (6) 65
твóй 君の (4) 45
теáтр 劇場 (6) 61
тепéрь 今は (15) 137
тетрáдь ノート [女] (4) 45
тётя おばさん (4) 45
ти́хий 静かな (19) 165
ти́ше ти́хийの比較級 (19) 165
тогдá そのとき、それなら (17) 153
тóже 〜も (11) 105
Толстóй トルストイ(作家) (17) 149
тóлько 〜だけ、ただし (7) 69
тóрт ケーキ (11) 105
тóчно ちょうど、確かに (13) 121
трамвáй 路面電車 (10) 93
трéнер コーチ (11) 101
трéтий 3番目の (付) 205
Третьякóвская галерéя トレチャコフ美術館 (19) 165
трёхсóтый 300番目の (付) 205
три́ 3 (21) 182
три́ ты́сячи 3,000 (付) 205
тридцáтый 30番目の (付) 205
три́дцать 30 (21) 182
тринáдцатый 13番目の (付) 205
тринáдцать 13 (21) 182
три́ста 300 (付) 205
туалéт トイレ (1) 25
тури́ст 観光客 (2) 29
тýт そこに (6) 65
ты́ 君 (2) 29
ты́сяча 1,000 (付) 205
ты́сячный 1,000番目の (付) 205

У у

у [+生格]〜のそばに、〜のところに (12) 109
удóбно 都合がいい (20) 177
ужáсно ひどく (22) 193
ужé もう (5) 53
улыбáться 微笑む [不完] ① (20) 173
университéт 大学 (11) 101
урóк 授業、レッスン、課 (16) 141
ýтро 朝 (5) 53
ýтром 朝に (付) 204
учéбник 教科書 (4) 45

Ф ф

феврáль 2月 [男] (14) 126
фигури́ст フィギュアスケート選手 (1) 21
фигури́стка 女子フィギュアスケート選手 (6) 61
фòтоальбóм アルバム (2) 33
фотогрáфия 写真 (11) 101
футболи́ст サッカー選手 (22) 189

Х х

хачапýри ハチャプリ(ジョージアの郷土料理)〔不変化〕 (18) 161
хлéб パン (15) 133
хлы́нуть ほとばしり出る、どっと流れ出す [完]〔不規則〕 (17) 149
хóлодно 寒い〔無人称述語〕 (18) 157
холóдный 寒い〔形容詞〕 (18) 157
хорóший 良い (7) 69
хорошó 上手に、よく (6) 61
хорошó いいよ (7) 73
хотéть 欲しい、〜したい [不完]〔不規則〕 (9) 85
худóжник 画家 (12) 109
хýже плохóйの比較級 (19) 165

Ц ц

цветóк 花 (11) 101
цéнтр 中心、センター (12) 109

Ч ч

чáй お茶 (1) 21
Чайкóвский チャイコフスキー(作曲家) (16) 141
чáс 時間 (21) 181

Ш ш

Э э

Ю ю

Я я

著者
前田 和泉 まえだ・いずみ

神奈川県生まれ。東京外国語大学教授。専門は近現代ロシアの文学と文化（特に20世紀ロシア詩）。著書は『マリーナ・ツヴェターエワ』（未知谷）、『大学のロシア語I・II』（東京外国語大学出版会、共著）、主な訳書はリュドミラ・ウリツカヤ『通訳ダニエル・シュタイン』（新潮社）、『アルセーニイ・タルコフスキー詩集：白い、白い日』（ECRIT）、ミハイル・レールモントフ『デーモン』（ECRIT）。座右の銘は«Алкого́ль – э́то си́ла.»（意味は本書のどこかに出ているので探してみてください！）

ブックデザイン	hotz design inc.
イラスト	根津あやぼ
DTP	明昌堂
ロシア語校閲	エカテリーナ・コムコーヴァ
校正	後藤雄介、円水社
編集協力	小林丈洋
音声吹込み	アナトリー・ヴァフロメーエフ、オリガ・プルツコワ、ヴェロニカ・プルツコワ
録音	NHK出版 宇田川スタジオ、山田智子

NHK出版　音声DL BOOK
これからはじめる ロシア語入門

2021年11月20日　第1刷発行
2023年9月15日　第2刷発行

著　　者　前田 和泉

発 行 者　松本 浩司
発 行 所　NHK出版
〒150-0042 東京都渋谷区宇田川町10-3
電話　0570-009-321（問い合わせ）
　　　0570-000-321（注文）
ホームページ https://www.nhk-book.co.jp
印刷・製本　光邦

ISBN 978-4-14-035172-7 C0087
Printed in Japan